봄날의 시집

스프링 에나멜 컬러풀

봄날의 시집

더블 레인보 사이의 하얀 잉크로 쓴 편지

김혜니 지음

봄날의책

일러두기
 한 편의 시가 다음 면으로 이어질 때 연이 나뉘면 여섯 번째 행에서,
 연이 나뉘지 않으면 첫 번째 행에서 시작한다.

You lie five whole fathoms below,
Your bones have turned to coral,
Your eyes have turned to pearls

Nothing of you that fade
But suffer a sea-change
Into something rich and strange

— From Act I, scene ii, of *The Tempest* by Shakespeare
  Touched up a little in a better way by dode

너는 저 아래 깊은 곳에 누워
뼈는 산호로,
눈은 진주로 변했어

어떤 것도 바래지 않았지만
바다-변화를 겪고
다채롭고 낯선 것이 되었네

— 셰익스피어의 『템페스트』(1610-1611) 1막 2장 중 일부
  도드가 조금 더 나은 방식으로 고쳐 씀

돌풍과 폭소의 밤 Nightingale

한 친구는
번역된 책이 아닌 작가가 직접 쓴 언어로 시를 읽을 때에만
새로운 언어를 습득하는 데 도움이 된다고 말했고

한 친구는
나에게 시를 번역하는 일에 관해선 말도 꺼내지 말라며
하나 마나 한 이야기라고 말했다

또 어떤 사람은
한 책에 두 가지 언어를 인쇄하는 일이
종이와 잉크를 낭비하는 일이라고 했는데

나는 T. S. 엘리엇을 읽다가
나이팅게일이라는 단어 앞에 멈춰 서서
그 사람의 말이 틀렸다고 생각했다

한국어를 쓰는 내가 떠올릴 수 있는 건 고작 간호사인데
영어가 모국어인 사람은 자기도 모르게
Night in gale, 돌풍과 폭소의 밤을 듣게 되잖아?

언어에 싸인 목소리를 읽어내는 법을
세상 모든 사람에게 들려주면 어떨까

누군가 돌풍의 밤, 폭소의 밤에 관해
끊임없이 이야기해왔다는 걸

밤이 오고 있다는 것을

2025년 9월
김혜니

차례

돌풍과 폭소의 밤 Nightingale 7

쌍무지개: It's a double rainbow! 17

빨강
헬리오폴리스에 다녀온 도드 23
나무, 새 me, nothing, bird, 24
P or F? 26
I hate those questions 싫어하는 질문들 28
탄 자국 좀 봐 29
잘루트의 패턴 32
쾌락보다는 고통이지 33
빨강 공책 36
오르락내리락 we go high or we go down? 37
무지개 감칠맛 39
에밀리 체인리스 소울 40
도드의 셀피 42
리퀴드 디스플레이 49

주황
이름을 잃어버린 오렌지 55
스위트 오렌지 56
비터 오렌지 57
스위트 비터 오렌지 60
오렌지 상자 63

오렌지의 이사 65
오렌지 수업 67
맑은 물 붓기 놀이 69
말 71
숫자 72
도드의 프랑스어 공부 a 쓰기
                  b 읽기
                  c 독해 73

    노랑

새미의 사랑은 집어삼키기 85
타키사이키아 시스터즈 86
새미의 오리엔테이션 88
시간이 무한했다면 도드가 만들었을 것들 89
요즘 유행하는 옷 90
울보에게 울보를 94
새미와 잘루트와 호텔 96
침샘 98
존재론적 쌍둥이 100
눈물샘 102
뻔뻔하기 vs 선 넘기 103
맑은 물? 흙탕물! 105
어려워 107
햇살처럼 뻗어나가는 108

초록

초록 눈의 잘루트와 청춘　111
도드와 영상 선생님 dode & shooting teacher　112
자전거는 앞으로 나아갈 때만 평형을 유지해　113
언니 means 친구　114
잘루트의 초록 눈과 도드의 파란을 동시에 호명하는 말,
　청춘　115
잘루트의 친언니　117
도드와 잘루트의 룸메이트　119
초록불을 기다리다 마주친 빨간불　120
에너지 키스　121
너 그런 거 좋아해?　123
기억의 변환점　124
밤이 오지 않을 때 밤은 낮이다　126
그린 룸 green room　129
잘루트의 전시회 jalut's exhibition　132
즐겨요 여러분 have fun people, have fun　138
한국인이 아이디나 비밀번호를 만드는 방식으로 쓴 시　139

파랑

물처럼 흐르는 가장 높은 온도의 불 143
Blue is the color of new birth 파란은 새로운 탄생의 색 144
물 반사 water reflection 145
맴맴 mamam 146
밤의 가수 147
에나멜 컬러풀 목마 149
아이여야만 150
구구단만 못 외운 게 아니었대 152
지어본 적 없는 얼굴 153
시간 여행 발각기 155
받아-그리기 158
자기만의 놀이 159
그럴 땐 영화를 보는 거야! 161
도드가 가장 약했을 때 164
도드가 가장 용감했을 때 172
엄마 옆에서 잠들던 시절 174
첫째 주 일요일 쉽니다 177

  보라

더블 레인보로 쏘아 올린 다섯 개의 돌　183

새빨간 도드의 피가 스며든 정원에선 왜 파란 히아신스가
  피어났을까?　185

돌이 된 나무 petrified tree　187

이제부터 나를 누라고 불러줄래?　194

  하양

재에 덮인 누의 바다　201

Here's a Kiss to the Whole World!　205

À nu

벌거벗은 밤의 태양과
내 마음이 '아니'라고 말한 순간들과
누를 기리며

쌍무지개: It's a double rainbow!

도드는 낮은 골짜기에서 협곡 사이로 높이 뜬
쌍무지개를 쳐다보며 저게 반나절은커녕
잠깐 떴다 금방 사라져 다행이라고 생각했다

무지개는 내 눈앞에 펼쳐진 세상이
반사된 빛에 불과하다는 걸

흐릿한 거울상 무지개는 당신 사실
본떠진 반사상일 뿐이라는 걸
상기시킨다고 생각했다   당신에게

<small>타오르는 언캐니 협곡의 분화구에</small>
Mind the Gap, the Crater
<small>빠지지 않도록 조심하세요!</small>
Burning Uncanny Canyon!

그래 거기   너
쌍무지개가 지지 않는 곳에서 살아갈 수 있겠어?

도드는 얼른 더블 레인보를 챙겨
차곡차곡 접어 재킷 왼쪽 안주머니에 안전하게 보관했다

하늘이 유독 파란 날엔 주머니에서 쌍무지개를 꺼내 펼친 뒤

색깔별로 편지를 적어나갔다 그때 공기 중에
포자처럼 퍼지는 가벼운 물 냄새가 좋았다

샘물 향수
Parfum de Eau de Spring
속이 다 비치는 히아신스 정원!
See-through Hyacinth Garden!

그   다음에 도드는
빛이 없어도 세상을 볼 수 있다면 어떤 모습일지 궁금했다
그때 넌 어떤 모습을 하고 있을까?

불타는 사람처럼 보일까 아니면
물 빠져 죽은 사람?

도드는 알고 싶어서
초록 눈의 잘루트가 가르쳐준 자전거를 타고
태양의 도시 헬리오폴리스에 다녀왔다

그   대가로 도드는 눈이 멀어
비가시광선으로만 세상을 보게 되었다

비-가시광선 다시 보기
Invisible Ray Re-view,
완전히 새로운 눈!
Pristine New Eyes!

도드는 좋아했다
그것을 프리스틴 뉴 아이즈라고 부르는 걸

그   그리고   너
그래 거기 너   볼 때
뭘   보고 있어?

빨강

헬리오폴리스에 다녀온 도드

도드는 헬리오폴리스의 열기가 식어갈 때쯤
편의점에 들어갔다가 하필이면
들큰하고 말랑한 하리보 젤리처럼 굳어버렸다

뒤통수에 커다란 하양
노랑도 초록도 빨강도 아닌 과거도 현재도 미래도 아닌
액체를 품은
반고체 반투명 젤리

도드는 다윗의 원형 דוד*의 소리
신에게 사랑받은 본래의 뜻은 끓은
사랑한다는 말을 돌려서 할 때 쓰는

* David의 히브리어.

나무, 새 me, nothing, bird,

바로 그때
커피가 맛있는 카페로 가는 버스가 눈앞에 도착했다

버스 내부의 전광판에
이번 정류소는, 다음 정류소는 하는 말이 뜰 때마다

앞으로 나아가고 있을 때 오는 이번은 언제나 다음이어서
내려야 할 지점을 알기가 어렵다고 생각했다

도드는 밖으로 시선을 던져
자신이 지금도 보고 있는지 가늠해봤다

'pristine new eyes!
invisible ray re-view,'

창에는 도드의 눈동자가 잠깐
비쳤다가 다음 순간 빨강 노랑 초록 잎이

나　무　에서 떨어지는 바깥 풍경이 이번엔
새　　　파란 눈동자 없는 눈을 뜬 얼굴이 선명했다

도드는 생각했다

하얀 얼굴에 파란 눈보다 눈동자 없는 파란 흰
자가 더 매혹적이며

반사는 늘 여러 개의 상을 만들어낸다고
타인을 거울 삼아 내 모습을 비춰볼 때

그   그리고   거기 너   사실
태어나서 단 한 번도 만난 적 없다고

나   아니
                          이 세계를

버스는 반드시 가야 하는 역에만 서는 급행열차처럼
어느새 종착역에 도착해 있었다

도드는 사뿐히 버스에서 내렸다

P or F?

헬리오폴리스에서 돌아온 뒤 처음으로
길에서 아는 사람을 만났다

어! 도드 이야 너 그거 헬리오폴리스
나 아직 한 번도 안 가봤는데
힘들지 않았어? 남자도 하기 어려운 걸 대단해

도드는 그게
원래 살던 도시에 돌아와 처음 들은 인사치고는
좀 이상하다고 생각했지만 내색하지 않았다 대신
헬리오폴리스가 너무 뜨겁다며
하루 만에 다시 짐을 싸서 모국으로 돌아간 남자들을 떠올렸다

   도드는 헬리오폴리스의 열기에 마음의 창이 빨갛게 녹아내린 뒤부터
   과거와 현재가 충돌해 생성되는 미래를 살아간다
   말에 눌려 질식했던 기억들을 눈앞의 풍경 위로 복원해내면서

과거-현재-미래
Past - Present - Future
기억-시점-허수 시간
Memory - View - Imaginary time

미래 À venir 도래할 것 아직 오지 않은 것
쓰거나 말한 뒤에 도래할 순간을 살아간다

있잖아

과거를 쓰지 않으면 앞으로 나아가고 있다는 착각 속에서 같은 현재만을 반복하며 갇힌 채로 살아가게 돼

그나저나 한국인이 p와 f의 소리를 잘 구분하지 못하는 게 시간이 빨라지고 과거 현재 미래가 뒤섞이는 일과 무슨 관련이 있을까?

I hate those questions 싫어하는 질문들

어떤 게 제일 싫은지 모르겠어
I don't know which one i hate more

오늘은 기분이 어때?
How do you feel today?
주말 잘 보냈어?
Did you have a nice weekend?
너 사랑시 썼구나?
You wrote love poem, didn't you?
너 혹시
Did you fall in love

왜 울어?
Why do you cry?

왜냐면 나는 아이였을 때 원했던 걸 계속
Because I don't really understand those who
원하는 사람들을 이해하지 못하겠거든
want to get the things they wanted as a child
걔들은 왜 계속 같은 걸 원하지?
Why do they want the same thing now

너도 지금 같은 걸 원해?
Do you want the same thing now?

탄 자국 좀 봐

 오늘 카페에서 베르트랑을 만났다
 이 도시에서 도드의 젤리 냄새를 제일 먼저 맡은 글 쓰는 애

 처음 만났을 때 베르트랑은 들떠서 자기 이야길 한참 하더니
 글 쓰는 자기는 평상시에도 늘 머릿속에서 일하고 있다고 말했는데
 도드는 애가 왜 당연한 소릴 하고 있지? 라고 생각했지만 말로 꺼내서 상처 주진 않았다

 헬리오폴리스에서 녹아내렸을 때
 액체심장이 하수구로 흘러들어가버려서
 젤리 몸 구멍심장에 바람이 쌩쌩 사납게 스치던 바로 그날 애가

 사랑을 잃고 어떻게 사니?

 라고 물어봐줬기 때문이다
 그다음 탁월한 돌려 말하기로 도드는 원해져야 한다며

```
         아니 못 잊어
No     un          forgettable
       타는 자국들 좀 봐
Look  those burning   marks
         너무 아프잖아
hurt        very      much
```

그사이 도드의 여자 친구들은 페미니즘을 공부하고
 그 정도 아픔일랑 빨리 잊어버려 남자놈 하나에 뭘 연연하니
 끝내 남자에 미친 새끼 같은 말밖에는 못하게 되었다

Please, Love me not!   제발 날 사랑하지 마!
Clever Asian Woman Global Power?   잘난 아시안 여성의 세계 진출?

레즈비언이 되자던 여자들끼리는 얼마 지나지 않아 입을 싹 닦으면서
 여중을 졸업할 때 연락을 끊었다가 얼마 뒤 남자 친구와 함께 나타난
 일반이 된 이반 친구들을 떠올리게 했다

도드의 이반 친구들은
자신이 원하는 걸 남들이 바라는 대로 바꿀 수 없다고 여겨서
이반이 되었는데

그게 자기 마음대로 되는 거면 오죽 좋겠니?
왜 자기 몸의 반응을 속일 수 있다고 생각했을까
나를 좋아해주세요라고 말하고 싶은 것도 아니면서

잘루트의 패턴

너가 여태 어떻게 살아 움직이나 모르겠어
그거 걔 패턴이잖아

너 왜 친구들한테 말 안 해?
아니면 전부 다 잃게 될걸

베르트랑, 이 이야길 어떻게 전하면 좋을지 나도 잘 모르겠어
어떻게 말하면 좋을까 오랜 친구에게 너는 내 친구가 아니고
우리가 보낸 시간들은 우리 자신도 아니었다고

너는 나를 모르고 앞으로도 다시는
우리를 되찾지 못할 거라고

쾌락보다는 고통이지

 베르트랑은 자기가 믿는 건 쾌락이고
 자기 친구들도 전부 그걸 따라 살아간다고 했지만

 도드는 그가 살아온 방식의 근거가
 친구들을 따라서였다는 사실에 조금 실망했다

 곧이어 자신이 믿는 건 쾌락보다는 고통이라고 생각했지만
 굳이 말로 꺼내진 않았다 대신 베르트랑에게
 헬리오폴리스 이후에 만났던 남자들과의 실패담을 들려줬다

 책 많이 읽는 이 귀여운 남자가 헬리오폴리스 말을 할 줄 알길래
 나랑 같이 거기 가서 살자고 하려 했는데 잘 안됐어
 나랑 전혀 다른 사람이라 잘될 수도 있다고 생각했는데 말이야

 나랑 잘 안된 뒤에
 자기랑 똑같이 생겼는데 듣기만 하는 귀 같은 여자를 만나고 싶다고
 헬리오폴리스 말로 전보를 치는 거야

그냥 입을 다물라 이거지 나보다 더 잘 듣는 사람이 어디 있다고

베르트랑은 얘 좀 봐라 지금 나한테 무슨 짓을 하는 거지라는 듯 웃다가 금세
그런 전략이 항상 성공하는 건 아니지 그나저나 너
걔 만난 지 얼마 되지도 않았는데 참 멀리도 다녀왔다
라며 도드의 조급함을 한 번 들춰낸 뒤

미래를 같이 그려나갈 수 있는 사람을 만나야지 그리고 잊지 마
너의 이야기를 쓸 땐 부모도 형제도 자식도 친구도 연인도 천사도 악마도 신도 태양도
없는 것처럼 써야 한다는 거

베르트랑을 만나고 집에 온 날엔 가끔 엉덩이가 꽉 쥐어지는 꿈을 꿨고
주고받은 이야기는 섹스나 돈 얘기보다 재미있었지만
고체심장을 형성하지는 못했다 사실 알고 있었다 얘가 좋아한 건

불타는 언캐니 캐니언의 열기에 녹아내린
마시멜로심장의 달콤한 탄내지 내가 아니고

인간이 부끄러워해야 할 일은
타인의 기준이 시키는 대로 살아가고 사랑하는 거다

가짜에 시간을 낭비하는 동안
진짜와 삶을 살아볼 기회를 놓치게 된다

사랑하지 않는 모든 시간은 낭비이며
시간 낭비야말로 우리를 부끄럽게 한다

도드는 그 사실이 부끄러웠다

빨강 공책

도드는 비가 내린 뒤 하늘에 무지개가 뜰 때마다
헬리오폴리스에 다녀온 뒤 알게 된 것들을 적어두었다

성적인 것은 내적인 진실
개개인의 수만큼 다양한 것

무언갈 진짜 좋아할 때 쓰는 에너지
엄마랑 같이 살 땐 펼칠 수 없는 것

사랑 없음은 가져가고 받을 줄만 아는 것
또 수동적으로 선택받길 기다리는 것

자기 자신을 잃어버릴 용기가 없는 것
먼저 좋아해본 적 없음이 승리라고 생각하는 것

오르락내리락 we go high or we go down?

제이는 음악가다
도드와 제이는 말이 잘 통했고 첫눈에
서로 비슷한 구조를 가지고 있단 걸 알아챘다

하루는 도드가
너 또 시가들 만나고 왔어? 라고 물었다
너 지금 나랑 일하는 아저씨들이 전부 좆을 빨고 다닌다는 거야?
라고 받을 줄 아는 제이

제이는 도드의 이름을 아무렇게나 바꿔 부르는 걸 좋아했다
도드, 도도, 보브, 도뒤, 똡, 더티, 또니, 듀드!

어찌나 흥미로운지!
How interesting!
당분 과잉 공명은
Sugar high resonance

물드는 것
간섭 혹은 방해
또는 힘나게 하는 것

서로 소멸되거나 보강하는

다름을 만나 상쇄되거나
중첩될 때 진폭이 두 배가 되는 파장

하루는 제이가 도드가 자기를 대할 때
아직 계산적인 부분이 보인다고 했고
도드는 그 말이 진실이라고 생각했다

다른 날엔 제이가 도드가 자기와 제일 친해지면
더 많은 힘을 가지게 될 거라고 유혹했고
도드는 그 말이 사실이라고 생각했다

제이와의 연결을 끊어버리고 싶은 기분이 들 땐
예민한 제이가 벌써 나를 죽이고 싶어졌어? 라고 물었고
그런 말이 제이를 도드와 더 가까운 사람인 것처럼 느끼게 했다

어느 날 제이는 도드에게 너가 일을 안 했으면 좋겠어
라는 구식 대사를 쳐서 무력감을 느끼게 만들었고

도드는 제이와 친구가 되고 싶다고 해서
그를 다섯 살 아이처럼 절망하게 했다
마음이 구깃해진 제이는 도드에게
이 트럼프 지지자! 라며 욕했고
둘은 다시는 볼 수 없는 사이가 되었다

무지개 감칠맛

도드는 남들은 다 그렇게 한다가 너무 싫다

어릴 때 학교 친구랑 엄마랑 같이 길을 걷는데
학교에서 친구가 자꾸 날 따라 해서 기분이 별로라고 했더니
둘이서 동시에 세상에 그럼 따라 하지 않는 사람이 어디 있냐는 거다

마치 그게 당연한 것처럼

남들이 하다 말면 자기도 하다 말 거면서
이래라저래라 하는 말을 더는 못 들어주겠다

갖가지 양상을 내보이는
Protéiforme !

변화무쌍한   변할 변   또는 재앙
용감무쌍의   무쌍   쌍이 없는
세상에   둘도 없어서   비할 데가 없는

이상한 동양 향신료
Odd Asian Spice
무쌍꺼풀 첫 번째 무지개

에밀리 체인리스 소울

A chainless soul
— Emily Bronte

길에서 보고 벌떡 선 생각들에 대해서 쓸 때
이것이 에밀리 브론테로부터 시작된 말이라는 것을
어떻게 표기해야 좋을까?

중요한 것은 에이 체인리스 소울이라는 말을 쓴 에밀리 브론테가
고아라는 것을 알아챈 사실 아닐까

어머니와 분리된 적 없어
아버지의 정신적 고추이자 당신의 벌떡 선 원뿔형 검은 눈동자
팔루스가 발기하지 않는 상태를 세상이 스키조프레니아*라고 분류한다면
엄마의 정신적 탯줄 아빠의 정신적 고추를 모두 끊어낸 것은
에밀리 브론테의 에이 체인리스 소울이라고 부르자

속박되지 않은 영혼
A chainless soul
Wuthering Heights
폭풍의 언덕

바람이 쌩쌩 강하게 부는 고지 요약하면 엄마 아빠 없는 곳

영혼이 도약하는 지점

프랑스 라디오에서 저의 목표는
제 안에서 엄마가 제로가 될 때까지 지우는 거예요
라고 말하는 여성 작가의 말을 듣고

그가 누군지는 궁금하지도 않고
그것이 내가 바라는 바다! 라고 생각한 것을

어떻게 적어볼까?

---

* Schizophrenia. 사회적, 언어적 억압에 저항하여 끊임없이 탈주하는 힘, 기존 권력 질서와 영토성에서 벗어나 다른 의미망을 형성하는 과정.

도드의 셀피

도드는 헬리오폴리스에 다녀오는 길에
자기 모습이 어떻게 보일지 궁금할 때마다
거울을 꺼내 다섯 장의 기념사진을 남겼다

첫 번째 흔적

파리에 밴드 공연을 보러 갔던 토요일 밤
입술에 빨강을 바르고 자전거를 타고 흔들리는 다리를 건너느라
고아인 에밀리를 기다리게 했는데 그때

늦게 도착한 도드를 돌아보던 에밀리의 얼굴
이 잊히지가 않아서 다시 파리에 갔을 땐
그녀가 일하는 11구의 레코드 가게부터 들렀다
에밀리 너 그때 우리가 나눈 대화 녹음해놨어?

너가 나한테 살면서 가장 중요한 건
Authentic*한 거라고 그랬잖아 근데 내가
Oriental**한 거라고 잘못 들어서

* 진본인, 정확한, 저자 또는 화가가 직접 쓰고 그렸거나 또는 처음 박아낸.
** 서양에서 동양을 대상화할 때 쓰는 단어.

그런 건 서양에만 존재한다고 그랬지

근데 돌아와보니 정말 그런 게 잘 없는 거 아니겠어
이곳에서 더 중요한 건 Attachment*
서로 붙어 있는 거 다른 말로 하면 기생이나 착취

내가 되고 싶은 건 자립한 불구인데
Arrachement**　뿌리 뽑힘 말이야

땅속이 너무 습해 호흡하려고
땅 위로 뻗는 공기뿌리
중력에서 멀어지면서 자라는 힘에서 시작해

발랑 까뒤집힌 나무의
뿌리-날개 기지개

파리에서는 눈으로도 혀를 섞어 진한 키스를 나누니까
에밀리와 헤어질 때 내가 보여줄 수 있는
가장 선명한 미소를 보여주려고 했는데

어떤 힘이 도드를 아래로 쑥 끌어당겨버렸다

실패한 혀가 오가는 키스
Failed French Kiss
카메라에 찍히거나 덧문이 닫힌 순간
Shuttered Moment

* 애정, 애착, 집착, 전념, 충성.
** 창자가 끊어지는 슬픔, 떼어놓기.

두 번째 자국

베를린에서 개나리와 헤어질 때
도드는 이미 야간열차에 올라타 있었고
플랫폼에 선 개나리는 손을 흔드는 도드를 향해
셔터를 당겼다

팡! 카메라의 렌즈 속 불빛이   빨강
순간적으로 이미지를 형성하는 데 실패한 도드는
Sunny side up*의 깨진 노른자처럼 머쓱한 기분이 되어

문이 닫히고 밤열차가 출발한 뒤에도 덜컹임 안에서 달걀의 씨눈처럼
내내 빨갰다

세 번째 얼룩

자기 잠시만 이쪽으로 서볼래?
사진 찍어줄게

* 노른자가 살아 있는 달걀 프라이.

햄스테드 히스 공원에서 만난 사진가는
도드의 사진을 찍어준대 놓고
잔뜩 화가 난 자기 개가 찍힌 사진을
도드의 눈앞에 내밀었다

<small>셀피를 찍어봐 내 사랑,</small>
Take a selfie dear,
<small>너의 영혼이 드러날 테니</small>
It's your soul display!

남의 사진을 찍어줄 때는
자기 감정을 밀어넣지 않도록 조심하세요

최고의 프로필을 찍어줄 사진가는 영혼 없는 화가일까?
최고의 자화상은 부재중인 사진이고?

<small>칠하거나 그려봐</small>
Paint or Draw,
<small>너 자신의 초상을</small>
Your own Self Portrait

네 번째 판화

도드는 이런 사진은 찍히는 사람이 오히려 손해
라고 생각해서 사진가에게 돈과 다시 찍어줄 것을 요구
했다

저기요 저는
다리 사이로 피가 쏠리는 대신
온 도시의 불이 밝혀진 순간의 환희가 담긴
이 세상에 단 하나뿐일 초상을 원해요

사진가는 이번엔 무슨 말인지 알겠다는 듯
고개를 끄덕이고 나서
도드의 초상을 다시 찍어주겠다고 말했다

그래놓고 이번엔
문화의 쿠키 틀로 찍어낸
진저맨 같은 이미지를 내밀었다

_{이런 진저맨}
Holy Ginger Man Bread
_{쿠키}
Cookie

다섯 번째 사진

사진가의 성공은
포획되지 않는 전부
피를 뒤집어쓴 마그마 천체 도드는

Unshuttered* being
(카메라가 놓친 전부)

도드는 내부의 피부가
모조리 다 벗겨진 것 같았다
계곡 아래로 뜨거운

공기에 닿는 순간 검은
껍질 사이로 희끗희끗하게 보이는
출렁이는 용암의 새빨강

Blood and Existence
(피와 존재)

* 덧문이 열린.

베이고 벌어져 피 흘리는
나 그거잖아 헬리오스 어쩌고
고대의 도시를 다녀온 여자

어떤 존재의 피도 먹지 마
You must not eat the blood of any creature,
모든 생물의 생명은 그의 피
because the life of every creature is its blood;
피를 마신 모든 이 잘리게 되리
anyone who eats it must be cut off*

잘라버려
C u t I t O f f !

안녕하세요 나는 도드예요
새로운 초상을 찍어줄 행방불명된 사진가를 찾고 있어요

* 영어로 쓰였지만 원본은 아닌 이 구절은 성경에서 가져왔다.

리퀴드 디스플레이

그를 만난 이후론 모든 기억에 그가 참석해 있어

개나리를 만난 게 그 이전이었는지
그   이후였는지 더는 알 수 없다

헬리오폴리스에서 참석한 파티에서 개나리를 만났다
개나리의 남자가 티브이를 보지 않는다는 말에
도드의 리비도가 갑자기 얼굴로 폭발해버렸다

도드의 리비도는 티브이를 보지 않음으로 흘렀는데
 파티의 주인은 자기가 좋아하는 개나리가 데려온 남자에게
 도드가 젤리를 흘렸다고 생각해 기분이 상한 것 같았다

 나중에 도드는 개나리 커플 집에 놀러 가 그녀를 위해 요리했는데
 티브이를 보지 않는 개나리의 남자는 음식을 맛있게 먹더니
 오랜만에 식사다운 식사를 해보네라고 말했고 개나리는 노란 얼굴이 빨개졌다

도드는 티브이를 보지 않는 개나리의 남자가
 보기 좋은 곱슬머리와 남자라는 몸을 가졌다는 걸 의식하는 동시에 궁금했다
 왜 이런 사소한 일로 소중한 사람의 기분을 상하게 하지?

 리비도 폭발 취소

 가끔 보면 얼마나 쉬운지 남자들은 사랑받기가
 얼마나 많은지 할 수 있는 말이 남자라는 이유로

 그때부터 도드의 리비도는 티브이를 안 봄에서 뚝 떨어져 나와
 개나리와의 대화로 집중되어 흘렀다

 개나리는 말을 할 때면 자주 말을 멈춘 채 먼 곳을 응시했는데
 그녀가 바라보는 곳을 향해 돌아보면 그곳에는
 　　　　　　　　　　　　　　아무것도 없었다
 도드는 개나리가 빈 곳을 바라볼 때마다 알 수 있었다
 그녀가 생각하고 있다는 걸

_{좌표나 방향 지시 없이}
Not orientated but
_{공간을 여는}
Opening spaces

같이 있으면 시간이 노랗게 피어나는
생각하는 개나리가 좋다

문화의 바깥에 선 티브이에서 가장 먼 시선
그것은 새로움을 위해 빈 공간을 바라보는

Liquid display*   개나리의 눈

해가 뜨자 개나리는 모국의 요리를 이국의 재료로
근사하게 담은 새로운 비빔밥을 만들어주었고

해 질 녘엔 세상에서 제일 맛있는
헤이즐넛 초콜릿잼을 소개해주었다

다음 날 아침 도드는 빵의 겉면을 바삭하게 구워
초코잼을 두껍게 발라 먹었다

* 액정을 뜻하는 LCD 리퀴드 크리스털 디스플레이에서 크리스털을 뺀 화면.

주황

이름을 잃어버린 오렌지
잊히지 않음을 요구하는 이야기들

도드에겐 이름을 잃어버린 여자 친구가 있다
그녀는 사물의 이름을 쉽게 떠올리지 못한다

이름은 저 멀리서부터 이야기가 끝날 즈음에나 도착했고
도드는 그게 좋았다

말로 표현할 수 없는 것보다 더 소중한 게 있을까?

도드의 친구는 당근 케이크를 좋아했다 그래서인지
해가 뜨고 지는 시간의 따뜻한 등색을 닮은

오렌지는 빨강에 더해진 노랑과 초록 사이

스위트 오렌지

도드의 친구는 죽은 여자이며
만날 때마다 그녀를 아가씨라고 불렀다

이름을 잃어버리기 전에
우리가 만났을 때보다 훨씬 더 작고 어렸을 때
누군가 자기를 이렇게 불러주면 가장 기분 좋았던 말

아가씨

오늘도 예쁘네?
예쁜 한국 여자야

왜 그래 왜 울어

비터 오렌지

여자들은 만나면 좀 피곤하잖아
툭하면 자기랑 똑같다고 그러거나 뒤섞고

말로 내 욕망을 임신시키려고 할 땐
남자랑 구분도 잘 안되고 그럴 땐
어디 한번 너가 직접 해보라고 따끔하게 말해줘야 해

이 친구는 원래 내가 가족같이 여기던 친군데
　　　(이 말에 도드는 살짝 베여 배꼽에서 젤리가 흘러나왔다)
나한텐 별 관심도 없고 시도 때도 없이
남자랑 헤어지고 전화해선 내내 자기 말만 쏟아내

그래서 하루는 이렇게 말했지
나 요즘 그럴 기분 아니야 이제 나한테 연락하지 마
음 개도 행동엔 결과가 따른다는 걸 알 나이가 됐지
그걸 가르쳐주는 게 나일 필요는 없지만 말이야

그나저나 도드 너는 맨날 뭘 깨닫고 그러더라
그냥 자기 모습 그대로 괜찮은 거
그거면 되잖아 안 그래?

말만 쉽지 어려운 일이야

오렌지는 새로 넣은 잿빛 하이라이트가 마음에 들지 않아 상심한 도드에게
오렌지색으로 다시 색을 입혀보기를 권했다 하지만 도드는
이것이 자신에 관한 이야기가 아닌 걸 알아채고 한쪽 귀로 듣고 반대쪽으로
그냥 흘려보냈다

오렌지는 사실 그녀가 태어나서 처음으로
저 남자애는 내가 가져야겠다고 생각했을 때
좋아했던 과일이다

저기, 우리 장례식장에서 만났었죠?

나중에 갤러리에서 마주친 오렌지의 첫 번째 남자는
개인전에서 그녀를 위해 만든 오렌지 어쩌고 하는 작품을 선보였지만

자기가 진짜 좋아하는 건 남자라고 고백해서 오렌지의 마음에
잘 덧나는 상처를 남겼다

오렌지는 그 뾰족한 상처 위로
매끈한 실크 스카프를 덮어 감각 있게 연출할 줄 알았다

베일을 쓴 첨예함
Veiled acuity

세련된 아가씨 오렌지

스위트 비터 오렌지

아가씨 이건 내가 낼게
아니긴 뭐가 아니야 원래 그런 거야

도드는 좋아했다
오렌지와 뭔갈 함께 먹으면서
나누는 이야기들을

도드

우리 엄마는 죽어가는 식물을 잘 살려내는 걸로 유명해서
사람들이 죽어가는 화분을 가지고 몰려오곤 했다? 근데

나 사실 이번에 가족 여행 안 갔어
너가 헬리오폴리스에서 만난 정신분석가 얘길 했었잖아
그래서

그 전에 잠시
나 남편의 그걸 조물락거리며 가지고 노는 걸 좋아하는데
그게 너가 공부하는 그거랑 무슨 연관이 있을까?

얼마 전에 물어봤어 엄마 아빠한테
당신들이 내 삶에 어떤 영향을 끼쳤는지 알고 있냐고

막내가 태어난 뒤 엄마 몸이 약해졌어
그래서 막내는 엄마가 뭘 원하는지가 제일 궁금해
그때부터 막내는 뭐든 잘하는 사람이 되었어
엄마를 웃게 하려고 그래서

도드
왜 그래 왜 울어?

나는 이해할 수 없었어 동생들이 태어나고 나서 왜 나만
나를 보고 나서 방법을 바꾼 거야 납득할 수 없었어 왜
나만

왜 나만 다른 대우를 받았지?

엄마는 너무 여자처럼 살았는데 나는 그게 싫었어
어른이 되고 나서 절대로 엄마처럼 살지 않을 거라고
대신에 되려고 했지

사랑 천재
Genius of love

나는 어쩌면 그때부터
동생들을 더 열심히 사랑하기로
마음먹었던 것 같아   냠냠

오렌지
이런 이야기 들어본 적 있어?

볼 줄 아는 사람들은 더 잘 보기 위해 이름을 잃어버린대
이름을 잘 아는 사람들은 사실 아무것도 몰라
아무것도 모르면서 이름만 떠올리곤 아하 기뻐해

도드
진짜 문제는 내가 이름을 잃어버렸다는 거야

이름을 잃어버렸다는 게 무슨 말이야?

이름을 바꿔치기 당했어
누가 내 이야기를 훔쳐 갔어

오렌지 상자

 오랜만에 만난 오렌지는 아내라는 이름이 주는 특권을 만끽하고 있었다
 손톱엔 단정한 빛깔의 아이보리 매니큐어

 도드는 그 아이보리를 보고 난 뒤 화장품 가게에 들어갈 때마다
 매니큐어 코너를 기웃거렸지만 이내 생각했다

 저건 오렌지의 아이보리

 사실 도드가 좋아하는 건 투명한 맨 손톱이다
 반투명 손톱 아래 노란 피부
 누르면 피가 비워진 하양 그 옆으로 짙어지는 빨강
 피의 비침

 오렌지가 처음 독립했던 집에 놀러 갔을 때
 갑자기 화장품이 잔뜩 든 상자를 꺼내 온 일이 생각난다
 좋아하는 것들을 모은 상자 가득 들어 있던 색색의 립스틱

 아가씨, 이것도 한번 발라봐
 오렌지가 건네준 건 빨강에 하양 노랑이 섞인 밝은 핑크

어떻게 이런 색이 다 어울리지
놀람에 조금 섞인 초록

이건 그냥, 내가 어렸을 때 엄마가 대접에다 우유를 붓고
거기다 딸기를 썰어 넣고 설탕을 타준 적이 있는데 그래
서 그런가봐

도드 너 가끔 보면 하얀 도화지야

이런 성분은 뚜껑을 열고 나면 빨리 변하니까
제때 갖다 버려야 하는 것, 알고 있지?

순식간에 해가 지는 시간의 호박색을 닮은
짙은 오렌지

오렌지의 이사

도드, 이 도시
매일 지나던 이 거리가 왜 그리 그리웠을까?
여기 이 횡단보도, 빌딩, 풍경이 나한테 별 의미도 없는데

새로운 도시에선 거리를 아무리 둘러봐도
내가 아는 이야기가 기억이 역사가 아무것도 없어

오렌지 내가 좋은 것 하나 알려줄까
무언갈 그리워하고 싶다면 잠시 거길 떠났다가 다시 돌아가면 돼

그럴까
하루는 남편이 그러더라고 너 그런 걸 좋아하는구나

아니 왜 있잖아 그거 초자연적인 거
말로 설명할 수 없는 이상한 현상들을 찍어놓은 비디오
그걸 뭐라고 부르지?

페이크? 미스터리? 비과학? 아닌데

아닌데 왜 그거 신이나 천사 같은 거
초월적인 거

보고도 믿을 수 없고 봤는데 증명할 수 없는 거

신화?
아니 그거 말고

사람들이 바보 같다고 생각하는 거
물질과학으로 설명할 수 없고 숫자로 셈해지지 않는
숨겨진 지식 말이야

오컬트?
맞아 그거!

오렌지 수업

한번은 오렌지가
도드가 어렸을 때 자길 쫓아다녀서 멋모르고 잤던 남자와
진지하게 만난 적이 있었는데 한참 이야기를 들어주다가
걘 예전에 나 좋다고 했었는데라며 운을 뗀 적이 있다

대상이 바뀐다면 사랑은 뭐지?
우리는 어떤 식으로 상대를 선택하게 되는 걸까?
질문하고 싶었던 건데
도드는 말하기에 자주 실패하는 편

왜 어떤 끔찍한 일들은 일상처럼 말해지면서
중요한 일들은 절대 말해지지 않는 걸까?

오렌지는 잠시 할 말을 잃은 것처럼 보였지만 금세
도드야 사람은 생각은 사랑은 원래 변하는 거야
시간은 계속 흘러가는데 아무것도 변하지 않는다면
그거야말로 이상한 일 아니겠어

변하지 않는 건
이 세상에 우리가 잃어버리지 않을 수 있는 건
아무것도 없어

그나저나 너 최근에 만난 사람이랑은 어땠어?
만지고 싶은 기분이 들진 않았어? 섹스는?

나 요즘 욕망이 없어졌어 그것보다 나
얼마 전에 처음으로 그림책 번역했다?

우와 그럼 도드 너 이름이 거기 적히는 거야?
그 뒤엔 사람들이 그걸 다 알게 되고?

맑은 물 붓기 놀이

근데 도드 너 새미랑은 왜 다시 만나?
혹시 걔가 너한테 설탕 뿌렸어?

오렌지와 새미는 도드가 두 사람을 알게 되기 전부터
서로 잘 아는 사이였고 만나면 미국식으로 꽉 끌어안거나
서로의 가슴에 손을 집어넣기도 했는데

어느 날 오렌지가 새미의 일에 더는
관여하고 싶지 않다고 선포했고
새미는 머리를 단발로 자른 뒤로 우울해하다가
도드의 인생에서 사라졌었다

나도 새미가 특별하다고는 생각해 근데 도드 너 혹시
걔랑 편먹고 유명해지고 싶은 거야?

새미? 나 걔가 겉으론 화려해 보이지만 사실은
살아오면서 계속 다르다고 느꼈다는 걸
새미의 한 조각은 외톨이라는 걸 알아

도드 있잖아 사실은 새미가 언제부턴가 사람들 앞에서
내 이야기를 마치 자기 이야기인 양하는 거야

나는 화도 많이 나고 혼란스러웠는데 그걸 인정하는 데 시간이 오래 걸렸어

처음 뭔가 이상하다고 느꼈을 땐
새미를 안 지 얼마 안 되었을 땐데
만나면 자꾸 맑은 물 붓기 놀이를 하자고 하는 거야

그게 뭔데?

서로 칭찬해주는 거
서로 듣기 좋은 말을 부어주는 시간을 가지자고 하더니

둘이서만 만날 땐 자꾸
같이 물 붓던 다른 친구 욕을 하는 거 아니겠어

맑은 물이 샘 솟는 오렌지와
새미의 오렌지 착즙 이야기 충격

너 왜 순서를 바꿨어
나한테 걔를 왜 만나냐고 묻기 전에
무슨 일이 있었는지부터 말해줬어야지

도드 너 내가 알고 있는 걸
너한테 전부 다 가르쳐주지 않을 수도 있다는 것 정도는
알고 있지?

말

오렌지가 좋아하는 말   괜찮아 천천히 해
        싫어하는 말   그건 나도 하겠다

도드가 싫어하는 말   I told you so _(내가 뭐랬어)
       좋아하는 말   Dare to want _(감히 원해봐)

숫자

멍청한 숫자의 세계에서 숫자로 쓴 시

할 말 0
슬픔 100

도드의 프랑스어 공부

a. 쓰기

아직 일어나지 않은 일을 말할 때: 가정법

<small>헬리오폴리스에 다시 한 번 가야 해요</small>
1. Il faut que j'aille à Heliopolis encore une fois
<small>하지만 그게 너에게 달린 게 아니라면, 너가 원하든 원치 않든 바꿀 수 있는 게 하나도 없단다</small>
2. Mais si ça ne dépend pas de toi, tu ne peux rien changer que tu le veuilles ou non
<small>자신이 원하는 것이 무엇인지, 자신의 가치가 무엇인지 아는 사람이 드물어요</small>
3. Il est difficile de trouver quelqu'un qui connaisse bien ce qu'il veut, ce qu'il vaut
<small>저는 폭염 속에서 작업에 집중할 수 있도록 수영장에서 일하고 있었습니다</small>
4. Je travaillais à la piscine pour que je puisse me concentrer mieux sur mon projet pendant la canicule
<small>우리는 때때로 어리석다고 느끼는데, 이는 우리가 단지 인간일 뿐이라는 사실을 잊지 않기 위해서예요</small>
5. On se sent stupide de temps en temps pour qu'on n'oublie pas qu'on est qu'un.e humain.e

b. 읽기
완성된 사건을 나타내는: 단순 과거

도드는 프랑스어의 단순 과거가 아주 유용한 문법이라고 생각한다
사건이 결정지어졌음을 알리는 형식

단순 과거를 통해 모든 것이 정말로 완전히 끝났다는 것을 배울 수 있다
한국말에는 이런 게 없어 예를 들어

프랑스어 사전에 '그녀는'을 뜻하는 문장을 단순 과거 시제로 쳐 넣었을 때
도드의 눈앞에 나타난 이 문장들은 여성의 값진 경험들을 나타내고 있는 것 같았다

     그녀는 한때 유명한 영화배우였다
1. Autrefois, elle fut une star du cinéma
     그 여자는 놀라운 광경을 목격했다
2. Elle fut témoin d'une scène étonnante
     그녀는 여성주의자라는 말을 배우기도 전에 페미니스트였다
3. Elle fut une féministe avant la lettre
     그녀는 산 채로 불에 태워지는 벌을 받았다
4. Elle fut punie par la peine du sens
     그녀는 심장이 방망이질 쳐서 그를 보고 한마디도 할 수 없었다
5. Elle fut incapable de lui dire le moindre mot en le voyant car son coeur battait la chamade
     그녀는 훌륭한 학자였다
6. Elle fut une grande savante
     그녀는 자기 안에 있는 구멍을 채울 방법을 찾을 수 없었다
7. Elle n'arrivait pas à trouver le moyen de remplir ce vide en elle

도드는 프랑스어를 가르치면서 과외 학생이

얼마나 사소한 일에 만족하는지를 보며 놀랐다

빵 만드는 영상을 보여주면 즉시

우와, 빵! 짝짝짝 박수

도드는 이 여성에게 프랑스어로 자신을 소개하는 법을 가르쳐주었다

제 이름은 이 미지입니다
1. Je m'appelle unknown Lee
한국인이고요
2. Je suis coréenne
카페에서 일하는 바리스타입니다
3. Je suis Barista, je travaille dans un café
서른 살이고요
4. J'ai 30 ans
프랑스어로 말하는 법을 배우고 싶어요
5. J'aimerais bien apprendre comment parler en français

6.

미지는 웃고 있었는데,

아직 말하지 않은 것이 남아 있다는 걸 알리는 예의 바른 웃음이었다

그녀는 잠시 망설이더니 얼굴의 웃음을 놓치지 않으며 도드에게 물었다

어떻게 하면 프랑스어로 아무것도 아니라고 말할 수 있죠?

Rien, je ne suis rien.

"히앙"

그녀는 히앙을 반복해서 말하더니 이제 만족스럽다는 듯 웃었다

미지는 자신이 아무것도 아니라는 것을 알고 있었다

무가치한 사람, 보잘것없는 사람
1. Un(e) rien du tout, un(e) rien-du-tout, un(e) rien de rien
특기할 것 없음
2. Rien à signaler (R. A. S)
어쩔 수 없어요
3. On n'y peut rien
그건 아무 가치도 없어요
4. Cela ne vaut rien
그들은 아무것도 아닌 일에 즐거워해요
5. Un rien les amuse
당신은 아무것도 가지지 못할 거예요
6. Vous n'aurez rien du tout
당신이 아픈 건 놀랄 일이 아니랍니다
7. Rien d'étonnant si vous êtes malade
당신은 몰라도 너무 몰라요
8. Tu ne sais rien de rien
아무것도 잃지 않으면 아무것도 생겨나지 않는답니다
9. Rien ne se perd, rien ne se crée
아무것도 두려워하지 마세요
10. Ne craignez rien

여기까지 썼을 때, 도드는 앞서 쓴 글에서 'Fut'가 없는 문장을 하나 발견했다

<small>그녀는 자기 안에 있는 구멍을 채울 방법을 찾을 수 없었다</small>
7. Elle n'arrivait pas à trouver le moyen de remplir ce vide en elle

아까 화면에 나타난 같은 뜻을 나타내는 예문 두 가지 중
도드는 더 흥미롭고 감동적이었던 문장을 택했었고
아까 본 문장에서 'Elle fut'가 어떻게 쓰였는지가 궁금해졌다

도드는 다시 'Elle fut'를 검색해보았지만
사전에는 그런 예가 없었고 눈앞엔 다음의 문장이 보였다

그 영화에서 그녀의 연기는 주목할 만했다

c. 독해
뒤라스의 롤 베 스타인: 황홀경 혹은 강탈

뒤라스의 롤 베 스타인의 환희를 읽는데 한국어 번역본으로 읽을 때 원문의 의미가 탈락하는 부분이 많은 것이 아쉬웠다. 이야기의 표면 아래에 숨어 있는 맥락에 대한 이해가 부족하기 때문이라고 생각되었고 친구들의 도움을 받아 의미가 전혀 달라진 두 문장을 다시 번역해보았다.

1)

Elle donnait l'impression d'endurer dans un ennui tranquille une personne qu'elle se devait de paraître mais dont elle perdait la mémoire à la moindre occasion.

그녀는 겉으로 내보여야 하는 자신의 모습을 조용한 권태 속에서 견뎌내고 있지만 툭하면 자기 모습에 대한 기억을 잊어버리는 것 같은 인상을 풍겼다.

2)

Il aimait cette femme-là, Lola Valerie, cette calme présence à ses cotés, cette dormeuse debout, cet effacement continuel qui le faisait aller et venir entre l'oubli et les retrouvailles de sa blondeur, de ce corps de soie que le réveil jamais ne changeait, de cette virtualité constante et silencieuse qu'il nommait sa douceur, la douceur de sa femme.

그는 여기 이 여자 롤라 발레리를, 자기 곁에 있는 이 조용한 존재를, 이 서서 자고 있는 여자를, 그가 상냥함, 자기 아내의 부드러움이라고 부르는 그녀의 이 엷은 존재감이 그녀의 금빛 머리칼, 잠에서 깨어남이 절대 바꾸지 않을 실크 같은 몸, 계속해서 침묵하는 이 잠재성을 망각과 재회 사이에서 오가게 해주는 것을 사랑했다.

3) 롤 베 스타인 요약하기

 이야기는 롤라 발레리 스타인이 무도회장에서 하룻밤 만에 자신의 약혼자를 빼앗긴 뒤 무미건조한 결혼 생활을 하다가 자기 친구의 정부를 빼앗는 것으로 보이지만 표면 아래에선 여성이 자기 자신으로 존재하는 것의 불가능성, 어려움에 관해서 이야기하고 있다.

 가부장 세계 속 여성은 남성이 쓴 여성을 연기해왔다. 그래서 모든 여성은 태어나면서부터 타고난 배우다. 종종 우리 여성들은 무엇을 해야 하는지, 무엇을 느껴야 하는지에 관해서 이미 쓰여지거나 말해진 것을 자기 자신이라고 믿어버린다.

 환희라고 번역된 제목의 le ravissement은 황홀경, 강탈이라는 의미도 내포하고 있다. 롤 베 스타인의 이야기는 T. 해변의 무도회에서 강탈당한다. 이 상처로 인해 그녀는 이미 쓰여 있던 사랑에 빠진 여성으로서의 역할을 잃어버리고 자신의 이야기를 쓸 수 있는 기회와 권리를 생성할 빈자리를 획득한다.

 롤의 어머니는 딸의 소식을 듣지 못했는데도 뭔가 잘못

되었다고 느껴 딸을 살펴보기 위해 달려온다. 이 두 사람의 정신적 유착이 롤의 실존적 위기의 시발점이다. 둘은 너무 가까워서 서로 구분할 수 없었고 각자의 존재는 겹쳐지고 뭉개졌다. 롤은 어머니와 떨어지기 위해 10년 동안 사랑 없는 결혼 생활을 하며 인생을 낭비한다. 이 기간에 롤은 어머니를 만나기를 거부했고 이후 어머니가 죽었을 때도 울지 않았다.

노랑

새미의 사랑은 집어삼키기
새미와 도드는 언제 같이 뭘 먹었는지 서로
기억하던 사이다

도드야
나는 너 살냄새도 구별할 수 있어 그리고
너는 내가 우리 집에 초대한 첫 번째 친구야

도드가 새미 엄마 여신
처럼 머리를 쓸어넘기는 손 모양을 유심히 보아 마음에
담았을 때 새미는
잠깐 새파란 질투를 드러냈지만 재빨리 표정을 바꾸며
도드를 소개했다

엄마, 여기는 제 친구 도드예요

욕망을 일으키는 얼굴
Fuckable face
하고 싶은 엉덩이
Fuckable ass

해바라기같이 잘 웃고요
엉덩이가 제 가슴처럼 풍만하고요
요리도 곧잘 하고 주는 걸 두려워하지도 않는답니다

그런데 엄마, 있잖아요

얘는 다 알아요

타키사이키아 시스터즈

새미에게 손으로 쓴 엽서를 받았다
앞면엔 햇볕이 쏟아지는 해바라기
꽃에 앉은 동그란 파란 새 한 마리

해　바라기야
_{너 웃는 것 좀 봐}
Look at your smile
너는 네가 원하는 걸 다 가질 거야

내 속도에 맞출 수 있는 사람 흔치 않은데
우리는 어쩌면 타키사이키아* 자매야
곤충의 눈에 사람의 손이 슬로모션이고
새가 나뭇가지에 부딪히지 않는 이유

_{임계 융합 주파수}
Critical Fusion Frequency
_{눈금 없는 심장 시계}
Heart clock without scale

파란　　새야
사람들은 모두 각자의 차원에서 살아가
우린 좀 달라서 시간의 눈금이 없다는 거
너도 알고 있지?

심박수가 높을수록 빨라지는 마음

가속화가 만들어내는 무한의 시퀀스
마음의 비상등이 항시 켜져 있는 우리 말이야

도드, 나는 너 사랑해
너는 내가 사람을 죽여서 감옥에 가게 되더라도

내 편이야 그렇지?
누구나 친구는 필요하니까

키스 러브 섹스
XOXO SOS**

     — 새미

---

* tachypsychia. 위기 상황에서 생존을 위해 슬로모션처럼 뇌가 시간을 늘려 인식하는 현상.
** kiss hug kiss hug save our souls. X는 입을 맞추는 모양, O는 서로 껴안는 팔 모양을 나타낸 그림문자다.

새미의 오리엔테이션

도드는 엽서의 해바라기 그림이 너무 명랑해서
뭔지 잘 모르겠지만 뭔가 좀 수상하다고 생각했다

왠지 모르게 새미가 전에 보여준
마리아처럼 아기를 번쩍 안아 올린 사진이 떠올랐다

잔인한 거 잘하는 애들이 성모 마리아 프로필 찍고
 욕심 많은 애들이 절에 다녀온 이야길 하는 걸 듣게 되는 일이
인생에서 자꾸 반복되는 것 같은 건 도드의 착각일까?

위장된 성스러움은 무얼 가리기 위한 시도일까
선한 척, 아첨, 불쌍한 척이 세트인 이유는?

새미야
너가 나한테 보내는 그림들의 자극이 좀 지나친데

도드야
너한테 말할 땐 말도 그림도 심사숙고 잘 골라야 한다니
좀 신경 쓰이고 피곤하네

시간이 무한했다면 도드가 만들었을 것들

1) 마음과 언어 사이의 간극을 볼 수 있는 프리스틴 뉴 아이즈 망원경
2) 잠자리에서 우산처럼 펼쳐놓고 읽을 수 있고, 잠들고 나면 꿈을 기록해주는 책
3) 죽을 때까지 욕망의 신기루를 들여다보게 해주는 TV
4) 시간이 유한하다는 걸 알게 되었을 때 깨달은 실수들을 되돌릴 수 있는 버튼
5) 마음의 빚을 안 갚은 사람을 찾아가 수금해주는 용역 이야기
6) 동네에서 제일 귀여운 다국적 남자애들이 놀러 오는 무국적 카페
7) 채소로 보석을 세공해 내는 레스토랑

요즘 유행하는 옷

호텔 로비에서 오랜만에 만난 새미는
껍질 벗긴 바나나 그림의 노란 원피스를 입고 나타났다

도드야 이 옷 예전에 내가 직접 만든 건데
요즘 서울에서도 잘 어울릴까? 어떨 것 같아

잘 어울린다고 말해줄래?
나 거절은 아무리 겪어도 익숙해지지 않거든

있지 도드 너 요즘 좀 힘들어 보여
나는 너 헬리오폴리스도 좋고 다 좋아

미국에서 희극을 만드는 어떤 여자는
자기 상담사가 어느 날 문득 건네준 오렌지에
마음이 허물어지고 열리더니 전부 다 쏟아졌대

도드의 마음을 무장해제시키는 새미의 말들
새미와 있을 땐 긴장이 풀리고 마음이 들뜬다

새미야 나 사실 어젯밤에 정말 기분 나쁜 꿈을 꿨어
꿈에 룸메이트와 방이 두 개인 집에 같이 있었거든
근데 갑자기 방이 점점 줄어들기 시작하는 거야

나는 계속해서 선을 긋고, 또 그었지

결국 방은 하나로 합쳐졌고 나는 살려달라고 소리쳤어
이 망할 방의 검은 선들은 내가 그은 게 아니고 걔가 그린 거야
보이지 않는 벽에 갇히는 악몽이었지

그 따라쟁이 년?
걔 남자 친구 생겼다며 도드 너 정말 구사일생이다

그 남자 없었으면 너한테 어떻게 했을지 생각해봤어?
너 때문에 힘들다고 나한테 비밀 메시지도 보냈어
그렇게 살면 당연히 힘들겠지

새미야 있잖아 내 생각엔
우리에겐 각자의 목소리로 지은 집이 필요해
자기만의 방으로는 부족해
자기 자신의 목소리로 지은 집 말이야

도드야 내가 처음부터 너 원석 같다고 그랬지
근데 반짝이는 것들이 전부 다 보석은 아니야

셰익스피어가 그랬잖아 지옥은 텅 비었고
모든 악마들은 지금 바로 우리 곁에 있다고

내 말 잘 들어봐 앞으로 너한테 필요한 건
네 작업에 돈을 낼 천 명의 사람들이야

그리고 오렌지도 너처럼 글쓰기 시작하면
정말 잘할걸 금세 베스트셀러 작가가 될 거야

그리고 너는 어깨에 닿을 듯 말 듯 중단발이 잘 어울리는 거
알고 있지 나는 긴 머리 오렌지는 숏커트

그리고 그리고   그리고
새미는 선점하는 걸 좋아한다

여자 친구들끼리가 주제인 드라마 섹스 앤 더 시티의 역할 나누기에서도
참하고 신앙심 깊은 샬럿 요크 역을 맡고 싶어 했지만 이름에서 알 수 있듯이
새미는 남자를 자기 마음대로 놀릴 줄 아는 서맨사 존스다

미국 피자를 혼자서 두 판도 다 먹을 수 있고
소처럼 힘도 세고 전국머리자랑에서 1등도 할 수 있는 여자

그런데 술은 입에도 못 대고 머리카락을 짧게 자르면
자기 힘을 잃는다고 굳게 믿는 새미는 꼭 삼손 같아

욕망이 커다란 새미는 미국이나 러시아처럼
더 큰 나라로 진출해서 비욘세보다 더 큰 사람이 되어야
한다

날고뛰는 여자들이 자기 모습을 그대로 펼쳐놓기에
이 나라는 턱없이 부족하다

특기는 바짓가랑이 잡고 늘어지기
발목 걸어 자빠뜨리는 앵클어택

도드 너 잘 때 눈을 구름처럼 살포시 덮고 자는 거 알아?
눈만 감았을 뿐 한 번도 잠든 적 없는 것처럼

너의 장점은 키스하고 싶은 입술인데
아유 참 널 가지는 사람 누가 될까 몰라

팬티 속으로 몰래 집어넣는 손처럼
불쑥불쑥 들어오는 새미의 욕망은
아이들 책가방의 노란색

울보에게 울보를

새미야 지금 생각해보면 내가 사랑에 빠졌을 때
돈이 별로 없었던 게 얼마나 다행인지 모르겠어
그때 난 정말 뭐든 할 수 있다고 생각했거든

그는 나에게 너가 하고 싶은 일을 하라고
하기 싫은 일은 하지 말라고 말해준 첫 번째 사람이야

그래서 나는 그가 나에게 별로 줄 게 없더라도
내 작업도 공부도 하고 아이도 가지고 가게도 열어서
어떻게든 함께 살아갈 수 있을 거라고 생각했어

그런 거야 뭐 당연하지
내가 사랑에 빠졌을 때 했던 미친 짓들을 생각해보면 말이야
그래 어쩌면 도드는 울보니까
같이 울어줄 울보를 만나는 편이 더 나을지도 모르겠네

나 헬리오폴리스의 거리를
그곳의 아침 공기를 정말 사랑했어
그땐 매일매일 살아 있다는 기분을 느꼈어

한 장소를 떠나는 일이 가까운 사람을 떠나보내는 것과 같은 일이라는 걸 알게 됐어
 어렸을 땐 재난 이후에도 살던 도시를 떠나지 못하는 사람들을
 잘 이해하지 못했거든

 새미야 어떤 관계들은 죽기 전까진 절대 끝나지 않는 것 같아
 나는 어쩌면 우리도 그렇다고 생각했어
 나는 너 만나면 늘 반갑고 기분 좋거든

새미와 잘루트와 호텔

지난번 새미와 호텔에서 만나 이야기를 나눈 게 좋았어서
이번엔 셋이서 방을 잡았다
그런데 잘루트는 왜 사람을 앞에 두고
핸드폰만 들여다보며 킬킬거리는 걸까 기분 나쁘게

도드는 잘루트가 먼저 돌아간 뒤 목욕물을 받아
 욕조에 소금 한 봉지를 몽땅 다 털어 넣었다 전부터 궁금했던 건데
 소금물에 목욕하고 나면 기분이 좋아지는 이유가 뭘까?

다음 날 새미가 물었다 도드, 어제 너가 잘루트한테
 쌍둥이가 너한테 함부로 말한 날 이야기 꺼냈을 때
 걔 자기도 그 자리에 같이 있어놓고 처음 듣는 척하고
 지 쌍둥이가 왜 너를 만만하게 보는지 모르겠다고 그랬잖아, 걔 요즘 왜 그래?

몰라 걔 요즘 눈 밑이 빨갛잖아
 내가 보기엔 그거 죄책감과 수치심의 무의식적인 표현이야

도드야 너 좀 너무 멀리 간다
 그냥 요즘 유행하는 화장 아니고? 그래도 걘 착해

새미야 어제 너가 잘루트한테 쌍둥이랑 왜 노는지 물어봤을 때
 잘루트가 돈이 급했을 때 걔가 돈 빌려줬었다고 하니까
 너가 그럼 둘이 쌍둥이가 되는 게 당연했다고 했던 말 있잖아
 나는 아니라고 생각해

 친구는 나한테 이득 되는 사람이 아니라
 그냥 만나면 반가운 사람 아니야?

 내가 중요하게 여기고 또
 진심으로 응원하는 사람 말이야

침 샘

도드 우리 엄마가 그러는데
너는 뭐든지 자기가 다 안다고 생각하는 타입이래

전에 잘루트랑 너랑 둘이 만났던 날 너가 걔한테
나랑 호텔 가서 밤새 이야기 나누기로 한 거 말하고 있을 때
걔가 나한테 너 만나기로 했냐고 문자 보냈었는데

그건 몰랐지?

나는 중요한 것들은 전부 다 혀로 배웠다
입에 쓴맛이 날 땐
일이 뭔가 이상하게 돌아가고 있다는 신호

걔가 나를 앞에 두고 너한테 내 얘길 했다고?
잠깐만 그러면
완전히 달라지는데 이야기가 내 인생의

도드, 내가 봤을 때 잘루트는 좀 샘이 많은 타입이야

잘루트는 골리앗을 부르는 아랍식 표기이자
프랑스어 Jalouse*와 비슷한 소리

* '질투하는', '시샘하는'이라는 뜻의 프랑스어 형용사 Jaloux의 여성형.

존재론적 쌍둥이

 잘루트의 쌍둥이는 잘루트가 언제부턴가
 걔가 하는 말을 앵무새처럼 따라 해서 잘루트의 쌍둥이
다

 잘루트의 쌍둥이는 도드의 방명록에
 너 정도면 남자들이 좋아하잖아
 남자들 만날 땐 얘랑 잘 수 있을지 없을지 먼저 가늠해
봐야지
 걔는 내가 보니 남자구실 못하던데
 누구 남편은 물자지 같은 말들을 남겼다

 잘루트의 쌍둥이는
 자기가 약점을 소문내고 다닌 남자들을
 미투 때 고발하고 페미니즘 전사가 됐다

 파리에 출장 왔을 때도 도드에게
 너 친구들 다 놔두고 여기서 뭐 해? 라고 묻더니
 헤어질 땐 죄지은 거 아는 미소로 손을 흔들었는데
 집에 가는 길에 생각해보니 잘루트의 쌍둥이는
 한 번도 도드의 친구였던 적 없는 거다

 또 기억에 남은 일은 도드가 잘루트와 친구 사이인 걸

당연하게 생각하자 조용히 초록 눈을 빛내던 얼굴
사람들에게 요리해주는 거 귀찮지 않냐고 물었던 일
부모가 도와주는 애들은 도저히 이길 수가 없다던 말

근데 왜 너가 다른 사람들을 이겨야 하는데?

눈물샘

새미야 나 이번에 엄마한테 말했어
나를 너무 힘들게 해서 당신 딸 하기 싫다고
그랬더니 눈물이 눈물샘 아니고
눈의 표면을 찢고 나오는 거 있지

그리고 나 아빠한테 생일 선물로
돈 달라고 했어 두 번인가 세 번
그걸로 정장도 한 벌 맞추고 컴퓨터도 샀어

작은 승리네
나는 너를 잘루트 쌍둥이처럼 강약약강인 애들로부터
지켜줘야 한다고 생각했는데

지난번에 회사에서 쌍둥이 년 만났을 때
잘 보이는 데다 내 친구 새미라고 써서 올린 거 봤어?
얘는 나 곧장 이용해먹는데 넌 나한테 안 그러잖아

새미야 나 파리에서 인종차별자 남자애들 한 무리가
우르르 다가와 니하오 하길래 양손 모욕 날린 여자야
근데 너가 날 어떻게 지켜? 나 그런 거 필요없어

뻔뻔하기 vs 선 넘기

새미야 우리 다음에 식물원에 놀러 가서
같이 그림 그리고 놀자 내가 도시락 싸 갈게

좋지 도드야 너 요리 잘하니까
나중에 나 예술 그만두면 너가 가게 열어서
우리 둘이 먹고살자

아이참 새미는 왜 자꾸 도드 미래를 저당 잡는 이야길 할까
  도드 인생은 도드 건데

새미야 있잖아 나 공부하고 싶은 게 많이 생겼어
도드, 전에 내가 뭐랬어! 나는 공부하는 거 안 좋아해!

에구 어쩌지 오렌지한테 배운 대로 말해볼까
나는 지금 그럴 기분이 아니다 그럴 시간이 없다

새미야 도시락 말이야
너네 남편한테 시켜

도드 너 내가 널 특별히 예뻐한다고
좀 뻔뻔해진 것 같다

도드가 뻔뻔해진 건 사실이지만
새미야말로 아주 선을 넘는 타입이다

새미는 왜 도드가 만났던 남자애들 좌표를
하나하나 찾아내서 영역표시를 하고 온 걸까

새미야, 그 사람이 내게 뭔가 느끼게 했어
Sam, he gave me this sensuality
그리고 그게 내가 내 거라고 부르는 유일한 거야
And that's the only thing I call that it's mine

신경증은 단순하게 말하면 자신이 원하는 걸
눈앞의 대상에게 아이처럼 죽어라고 요구하는 것

맑은 물? 흙탕물!

도드야 너는 몰랐겠지만 언젠가 오렌지 남자 친구가
내 동생한테 집적거린 적이 있었다?
이 이야긴 오렌지한테 절대 꺼내면 안 돼
그럼 걔가 상처 입을 거야 내 말 무슨 말인지 알지

새미는 오렌지를 진심으로 걱정하며
관계에서 생기는 상처가 어쩌면 우리 인생을 결정지을
전부라는 걸
도드에게 알려주려고 했지만 다음 날 다른 사람들이 보는 앞에선

오렌지에게 생긴 좋은 일들이 자기의 이야기인 것처럼
오렌지의 동생이 그녀의 파트너에게 들은 찬사가
마치 자기한테 있었던 일인 양 이야기하고 있었다
도드는 너무 놀라서 내가 지금 뭘 보는 거지?
새미야 내가 본 대로 이야기해볼게

너 그런 적 없잖아 그거 니 얘기 아니잖아 왜 훔쳐
다른 사람의 이야기를 도둑질하는 건 존재 착취 아닐까
왜 다른 사람 머릿속을 마음대로 휘저을 수 있다고 생각하는데?

다른 사람의 서사로 아무리 씻어내도
자기가 했던 생각과 행동은 스스로 제일 잘 알지 않나
혼자 정당화할 수 없고 인정하고 꺼내놓기 전까진
자기 안에서 사라지지도 않잖아

새미는 미꾸라지 도드 마음은 흙탕물
새미를 미꾸라지라고 부르고 나서
그 여파가 1년이나 갔다

어려워

몇 달 뒤 도드는
자주 가는 카페에서 공부하고 있었는데
고개를 들었을 때 건너편 자리에
모자를 눌러쓴 새미가 남편과 함께 앉아 있었다

그때 새미의 빙그레 웃는 입가를 본 것 같았는데
어쩌면 그냥 도드의 착각이었는지도 모른다
귀에 맴도는 새미의 목소리
도드야 나는 그래도 너 사랑해

새미는 도드를 많이 좋아해준 사람
도드의 가능성을 알아보고 이야기해준
즐거운 시절을 함께한
도드가 진정으로 마음을 연 친구

그럼 오렌지한테 일어난 일은?
엄마가 좋아 아빠가 좋아라는
아이 같고 치사한 질문보다 더
어려운 이야기

햇살처럼 뻗어나가는

도드는 바라본다 길 건너 멀리
반대 방향으로 흘러가는 낯선 이를
저쪽 멀리 당신 고개를 돌려 나를 본다

정체를 확인하려고 했지
방금 전 나를 만진 게 뭔지 궁금해
갑자기 모든 것이 선명해진 이유가 궁금해

당신이 아는 것 모르는 것
안다고 생각하지만 모르고 싶어 하는 것
말한 적 없기에 가장 잘 아는 것

방금 도드가 당신을 만졌지 하지만 어떻게?
닿은 건 뭐였을까 도드는 여기에 당신은 거기에 있는데
아니 그런 건 중요하지 않다 어떤 느낌이었지?
보여진 바로 그때 낯선 이여

흘러가는 수많은 이들 사이 도드가 당신을 만졌을 때
노란 햇살처럼 뻗어나가 당신을 찍고 돌아온 화살
사람들은 그걸 뭐라고 부르지?

초록

초록 눈의 잘루트와 청춘

잘루트는 도드가 겁쟁이이던 시절 자전거를
가르쳐준 사람
도드가 학교에서 꼴찌를 했을 때 1등 상패를
만들어준 적이 있다

도드를 사슴아! 하고 불렀을 때 잘루트가 본 건
자동차의 스포트라이트에 놀라 멈춰 선 모습의 사슴이었다

잘루트는 틀렸다 도드는 변신의 귀재 여우이면서
이상한 거울 나라의 안내자 토끼이기 때문이다

Pigeon blood _{비둘기 피} 같은 눈과
Red star ruby _{레드 스타 루비}처럼 금이 간 심장을 가진 하얀 여우토끼

잘루트 씨 아네모네 말미잘 반으로 자르면 원숭이 얼굴
아네모네의 꽃말은 배신 따뜻한 지역에서 더욱 잘 자란다네

도드와 영상 선생님 dode & shooting teacher

애들아! 이건 모큐멘터리야
다큐멘터린데 가짜고 가짜지만 진짜인 척하는 거지

뭐라는 거야?
도드가 의자를 뒤로 젖히며 까딱거렸다

하하, 애들아, 반장 좀 봐라!
이런 애들은 나중에 카타르시스를 즐기게 된단다
 출생지는 비극, 두 번, 태어나는, 홀 휴먼 파서빌리티!
를 드러내는 거울

여기 이 초록색 스크린에 나타날 이미지들을
가까이서 또 멀리서 자세히 살펴보렴

여기 이 숏은 클로즈업
대상으로 가득 채운 숏, 감정의 범람을 드러내지

그리고 이건 롱숏
대상을 전체적으로 보여주는 거야

자전거는 앞으로 나아갈 때만 평형을 유지해

도드는 잘루트와 같이 살 때 딱 두 번 몸이 흠뻑 젖은 적이 있다

처음
 열심히 빨래하고 있던 세탁기의 호스가 터져서
  온 집 안이 물바다가 되었고 같이 살던 우리 넷은 다 같이
   깔깔깔 하하하 호호호 웃었다

그다음
 도드는 새벽에 일어나 자전거를 타고 호수 주변을 빙글뱅글 돌았다
  그때부터 도드는 자전거를 정말 잘 타게 되었다
   다 함께 사는 집에 도착한 도드는 영화에 나오는 것처럼
    옷을 입은 채로 샤워기의 물을 세게 틀어두고 울었다

언니 means 친구

도드는 헬리오폴리스에서 돌아오고 싶지 않았다
그래도 잘루트의 결혼식에 참석할 수 있어서 기뻤다
직접 만나서 축하하고 우정을 증명할 수 있다는 게

도드는 처음 만났을 때부터 잘루트가 좋았다 정말 좋아했다
먼저 친구가 된 잘루트의 친언니보다 더 가깝게 느꼈다
집에서 먼 대도시에 사는 멋진 언니 이상화도 동경도 하고
따라도 해봤지만 결국엔 자신과 대등하게 여기게 된 친구

입을 크게 벌리고 노래 부르고 기뻐하고 소리치고 울고
뛰어다니고 발 구르고 먹다가 웃고 떠들다가 따분해하고
엉망이고 세련되고 지저분하고 치사하고 웃긴 언니들

잘루트의 초록 눈과 도드의 파란을
동시에 호명하는 말, 청춘

아내가 된 잘루트와 초록색 더티 마티니를 마시러 간 봄날
 잘루트가 좋아했던 애가 도드를 꼬셨을 때
 별로인 섹스를 딱 한 번 한 적 있었다고 고백한 게 먼저였을까

 아님 잘루트가 자기 파트너를 고른 이유가
 자기를 배신하지 않을 걸 아니까 안전해서
 라고 말한 게 먼저였을까?

 잘 기억나지 않지만 잘루트가 몇 년이 지난 도드의 고백을 얼마 뒤
 그와의 결혼을 앞둔 자기 베프에게 전달했다는 암시를 담아
 도드만 볼 수 있는 사진전을 연 건 분명히 그 이후였다

 잘루트의 안전에 대한 선호를 알고 난 뒤부터 도드를 공격해오는
 뭐가 먼저였는지 알 수 없지만 선명하게 드러나는 뒤섞인 기억들
 도드는 기억을 더듬어 해야 할 말을 찾지 못했던 순간들로 되돌아간다

귀가 잘 안 들려? 왜 몸을 기울여?

글쎄 바로 앞에 있는 사람이 말하는 것보다
멀리 있는 소리가 더 잘 들려서
그때부터 쭉 왜 멀리 있는 소리가 더 잘 들리는지 궁금했는데
이제는 뭘 들으려고 했는지 조금 알 것 같다

도드는 말과 생각이 일치할 때 나는 몸통의 울림이 좋았다
말 너머에 뭐가 있는지가 늘 궁금했다
한 번도 들어본 적 없는 말을 하는 그 사람 고유의 목소리
거기에선 어떤 소리가 날까?

잘루트의 친언니

도드야 저 남자 어때?
너랑 좀 잘 어울리는 것 같은데

마음이 간 건 그때부터였지만 실제로 좋아하게 된 건
서울 시내의 소극장을 지나는 버스의 문이 열리자마자
도드의 눈앞에 그가 등장했던 우연에서부터

나중에 도드가 용기 내서 둘이서 만나자고 했는데
앞에 앉은 이 남자가 도드에게 잘루트 이야기만 물어서
걘 다른 기타 치는 애를 좋아해요라고 말했던가 아님
생각만 하고 말았나?

얼마 지나지 않아 두 사람이 만나기 시작했을 때도
도드에겐 잘루트와의 관계가 더 중요했다
지금에 와서는 왜 그랬는지 믿기 어렵지만 그랬다

도드는 잘루트에게 덜컹거림을 감추며 이렇게 말했다
이 일로 너한테 아무런 영향을 주기도 받기도 싫어
방해꾼은 진정한 사랑의 엑스트라일 뿐인 거 우리 다 알
지

꿈을 포기할 준비를 하며 부쩍 어두워지고 말수가 줄어
든 잘루트의 언니는

그 뒤부터 도드의 인생에서 조용하고 완전하게 사라졌다
둘이 사귀기 시작한 날 집에 가는 택시에서 도드가 좀 슬퍼 보였나

그즈음 잘루트가 도드에게 너가 우리 언니의 유일한 친구였는데
언니가 참 안됐어라고 말한 건 다시 한 번 찬찬히 살펴볼 일이다

그럼 이야기가 완전히 달라지지라는 말은
마지막 조각을 끼워넣고 나니 전체의 그림이 다르게 보인다는 말

도드와 잘루트의 룸메이트

같이 사는 집에 잘루트의 남편이 자주 드나들던 시절
잘루트는 도드의 룸메이트와 더 가깝게 지내기 시작했다
한 번도 그렇게 생각해본 적 없었는데 그녀에겐
늘 중요했던 것 같다 관계에서 유리한 위치에 서는 게

도드는 룸메이트가 잘루트의 말 한마디에
음식을 씹는 방식을 바꾸는 걸 보고 애인도 아닌 친구의
마음에 들기 위해 먹는 방식까지 바꿀 수 있구나 놀랐다

우리가 하는 일의 대부분이 누군가의 마음에 들어서
사랑받기 위해서라면 자기 자신으로 살아간다는 건
가능한 일일까? 자기 없이 살아가는 건?

이 장면을 도드가 보고 있었다는 사실을 알게 되면
룸메이트가 수치심을 느낄 것 같았다 그런데 어쩌면
너 왜 그러냐고 싸우는 편이 더 나았을지도 모른다

초록불을 기다리다 마주친 빨간불

그즈음 도드는 길에서 좋아하는 음악가를 만났다
 같이 사진을 찍자고 요청했는데 그가 덥석 도드의 손을 잡았고
집에 가는 지하철에서 내내 도드의 손이 불탔다

그때 깨달았다 사랑은 이렇게 무서운 거
불에 홀랑 다 타버릴 수도 있는 거라고 그리고 다짐했다
나중에 결혼은 꼭 이런 사람이랑 해야겠다고

에너지 키스

 도드는 헬리오폴리스에서 키스할 때 입에서 빛나는 구체가 나온 적이 있다 그때까지 키스가 목적이었던 남자는 놀라서 벤치 아래 풀밭으로 떨어지며 신의 이름을 불렀고 다시는 돌아오지 못했다 어릴 때 들은 아기는 엄마가 아빠를 만질 때 생긴다는 말은 사실

 이런 걸 성광입구라고 부른다 밤에 별처럼 빛나며 날아다니는 것이 여자 당신 입으로 날아 들어가 임신을 시킨다는 이야기 그런데 이것은 여자 도드의 입에서 나왔다 그럼 도드는 밤에 별처럼 날아다니는 빛 그럼 임신한 건?

 도드는 너무 놀라서 한동안 자기 몸에서 무슨 일이 있었는지 이해하지 못했다 리스펙토르의 단편에서 같은 경험에 관한 이야기를 읽고 나서야 이건 이성으로 설명할 수 없고 과학적이지도 않은 여자의 몸에서 일어나는 수많은 일들 중 하나 누구도 듣고 싶어 하지 않고 사실대로 말해봤자 아무도 제대로 듣지 못하는

 도드가 여기서 진실로 말하는데 그게 공이든 씨앗이든 하품이든 뭐든 간에 여자 몸에서 입으로 나온 빛의 구체를 느꼈다 그리고 그날 이후로 무언가가 내내 태어나려고 한다 그리고 아마 그게 남자가 여자를 그렇게도 오랜 시간 미워한 진짜 이유

도드가 빛의 구체를 뱉어 넣은 남자와 5천 마일 정도 떨어졌을 때 도드의 배 안에서 우주가 내파했다 도드는 자주 가는 카페의 화장실에서 전율을 느꼈고 문밖의 사람들이 도드가 만들어낸 충격파를 감지했을지 궁금했다 이만한 폭발이면 이 도시, 지구, 헬리오폴리스 정도는 거뜬히 날려버릴 수 있을 것 같았다 그 여파는

헬리오폴리스에서 만난 정신분석가는 가부장제 내에서 여자의 유일한 정신적 육체인 여자가 듣고 자란 말들이 수소폭탄처럼 내파할 때 여자 당신이 출산보다 훨씬 더 강렬한 고통을 겪게 된다고 말한다 시를 쓰는 여자는 그걸 깨어 있는 밤 또는 죽음이라고 부른다 심상의 폭발이라는 열렬한 주제

하루는 마치 배에 총을 맞은 듯한 비탄을 느꼈다 곧 7천 마일 떨어진 곳에서 남자의 엄마가 죽었다는 소식이 들려왔다 남자의 엄마가 죽고 나서 그가 느낀 슬픔이 배에서 배로 전해졌다 리스펙토르가 별의 시간에서 생명은 배를 한 대 얻어맞은 느낌이니 궁금하면 직접 당신의 배를 힘껏 한번 때려보라던 말처럼

한 여자가 자기가 느끼지 않은 걸 느꼈다고 말할 때
그 말에 귀 기울인 다른 여자의 몸에선 어떤 일이 일어날까?

한 여자가 자신이 느낀 걸 말하지 못한 경우는?

너 그런 거 좋아해?

도드는 이 이야기를 잘루트에게만 했다
자기 안에서 가짜여자 우주가 폭발하는 고통을 느꼈다고

그다음에 잘루트를 만났을 때
체온이 자꾸 떨어지는 일에 관해서 이야기하니 잘루트가
깔깔깔 웃었다 그 뒤엔

너 그런 음악 좋아해?
도드는 자존심보다 그동안
자길 깎아내려온 잘루트가 보이기 시작해서 아팠다

너 점점 너네 엄마 닮아간다
도드는 그 말에 담긴 것이
우정이 아닌 악의라는 것이 너무 잘 보여서

생각했다
아 내가 한 일들이 그만한 가치가 있는
일이었다면 참 좋았을 텐데

기억의 변환점

기억의 변환은 세 사람이
태양이 뜰 때까지 술을 마셨던 날 본
잘루트 목의 절망의 각도에서부터 시작된다

그날 밤 잘루트의 베프가 잘루트가 좋아하던
기타 치는 애의 집에 찾아가서 말했다
딱 한 번만, 한 번만 키스해주면 안 돼?

저년 더럽게 잘 꼬시네라며
고개를 직각으로 처박은 잘루트는
지하 공연장의 바닥을 오래도록 바라봤다

도드는 겪어보지 않은 종류의 아픔을
잘 이해하지 못했지만 그날 본 잘루트 목의 각도는
오랫동안 기억하고 있었다

연이어 떠오르는 잘루트의 말과 모습들
도드의 구멍심장에 불을 지르는

사실 난 그런 기쁨 잘 모르겠어
성적인 것 말이야

그럼 어떻게 알았을까?

타는 듯한 열병을 느낀 게 아니었다면
사랑인지 아닌지 어떻게 알았지?

도드는 행복의 증거라는 듯 전시해놓은
잘루트의 사진전을 노려보며 생각했다

이기려던 거였나 보지
사랑이 아니고

약함은 자기 몫의 고통을 타인에게 전가하는 것
강함은 자신이 겪은 고통을 타인이 겪지 않도록 방지하는 일

이어서 새롭게 떠오르는 질문
사랑하는 척보다 뭐가 더 나쁠 수 있을까?

친구인 척?

밤이 오지 않을 때 밤은 낮이다

밤은 마들렌을 베어 물기 쉽게 만든다 잃어버린 시간을 찾아 떠났던 프루스트가 커피에 마들렌을 찍어 먹으며 이름 지어지지 않은 과거의 기억들이 현재로 귀환하는 현상에 관해서 말했을 때 도드는 검은 물이 조개 모양의 마들렌에 스며들었다는 사실에 주목했다

시인들은 이 작용을 밤이라고 부른다

밤은 당신을 적시고 형체를 잃게 한다 만약 도드가 틀리게 기억하고 있다면 빵에 스며든 것이 커피가 아니라 홍차라면 그가 겪은 것은 아마 태양같이 붉은 밤이었을 것이다 이중언어로 글을 쓰는 요코는 진주를 만들어내는 것은 바다의 찌꺼기도 조개도 아닌 진주가 조개에서 떨어져 나옴이라고 썼다

떠나는 것은 낙하하는 마그마를 똑바로 노려보며 불의 밤을 정면으로 돌파하기

적당한 온기와 절절한 감정이 주지 않는 자유를 선사하는 빛나는 것을 만들어내는 불을 헤치고 나온 시간이 도달하는 환등 장치의 도달 불가능한 벌거벗음 위로 물의 표면을 덮은 우리가 상상할 수 있는 가장 얇은 기름막, 밤을 헤치고 나온 사람의 내부는 운색*이다

광물의 표면에 보일 듯 말 듯 외부가 스민 무지갯빛

 개인이 아닌 집단을 사랑하는 건 불가능하다고 말하는 아렌트는 아파트 천장의 얼룩을 뚫어져라 바라본다 그녀가 사랑하는 친구 벤야민이 얼룩 위로 고개를 빼꼼 내민다 꼽추 난쟁이를 달고 다니던 진주 잠수부 그는 프루스트를 번역하고 죽는 날까지 과거로 잠수해 이별의 순간을 수집했다 시대가 직조해내는 환상과 작별하고 작별하고 작별하고 작별하고 또 작별했다

 작별은 당신을 처음으로 만나기 위한 도드의 시도

 영영 쫓겨난 자발적 망명자 벤야민은 이미지로 사유하기라는 드문 재능을 지녔지만 시인도 다른 아무것도 되려 하지 않았다 미래를 예측하려면 과거로 시선을 돌려야 한다는 그의 말이 도드의 혈관을 타고 흐르므로 우리는 혈육이다 우리가 배우는 방식은 나의 눈을 덮어오는 장막을 걷어내고 당신에게로 가보는 것 그렇게 그는 욕망의 환등 장치 너머로 깊이 잠수했다 돌아오길 반복하며 진주가 조개에서 떨어져 나올 때 내는 빛을 수집했다

욕망의 환등 장치는 이전의 삶에서 도드가 너라고 부른
모든 게 사실은 도드였다는 사실

 밤이 오지 않을 때 밤은 낮이다
 은폐된 과거를 드러내는 태양

 * Iridescence. 보는 각도에 따라 색깔이 변하는 무지갯빛 현상.
   빛의 파동 간섭으로 인해 발생하며, 비누 거품, 나비 날개, 소라 껍질,
   오팔 등에서 볼 수 있다.

그린 룸 green room

무대 뒤의 분장실은
배우가 쓰여진 대로 행동하기 전
관객들에게 얼굴을 드러내기 전에
긴장을 풀고 휴식을 취할 수 있는 장소

배가 자주 아팠던 잘루트는 이 도시에
숲 같은 건 존재하지 않는다고 주장해야 할 것이다
도드만 볼 수 있었던 사진전의 잔인한 얼굴들을
자기 관객들은 보지 못하게 하려면

그런데 어찌하리? 그냥 두면 이 도시를 집어삼킬
봄만 되면 무성하게 피어나는 노랑 연두 빨강 잎사귀를
잘라내고 불질러도 어느새 빌딩 사이사이로 피어나는
초록을

잘루트는 왜 몰랐을까
도드가 사진을 글로 옮겨 적을 수 있다는 걸
잘루트는 사진전을 열 때마다
도드가 아플 거라는 생각에 기분 좋았을까?

하지만 도드가 크게 다친 건
잘루트의 쌍둥이가 자기가 보는 앞에서 도드를 깎아내
리자

화를 내긴커녕 그 자리에 없는 척을 했던 순간이다

셰익스피어 시대엔 모든 여성 역을 남자가 맡았대
근데 지금도 좀 그런 거 같지 않아?
거죽만 여자고 속에 든 건 다 남자야

도드가 예술가가 되어야겠다고 했을 때
잘루트와 따라쟁이는 그걸 정말 싫어했다
걔들이 뭘 그렇게까지 싫어하는 건 처음 봤다

얼마나 싫어했는지 자기가 싫어하는 걸
스스로도 몰라야 될 정도로 싫어했고
서로 싫어하면서 편을 들기까지 할 정도로 싫어했다

입을 열었을 때 세상이 폭발해버리는 게 여자라면
도드는 분명히 여자다

예술 하는 남자가 자기 친구였을 땐
힘센 언니들이 웃어줬을 땐 어땠게?

얼마나 많은 여자들이
상대를 기죽이거나 미움받고 싶지 않아서
자신의 역량을 억누르며 살아갈까?

도드를 생각한다며 건넨 교묘한 견제의 말들과
당황하고 자지러진 모습을
여성주의라는 이름으로 용서해줄까

그 모든 샘이 도드의 눈을 뜨게 하고
도드의 목소리가 샘솟게 했으니

샘샘이잖아?

잘루트의 전시회 jalut's exhibition

 도드는 잘루트의 사진전에 다녀온 뒤 가슴에 통증을 느껴 정형외과에 다녀왔다
 내부 조직의 모습을 섬세하게 촬영하는 엑스레이로
 경찰서에 가져갈 수 없는 증거 사진을 남겼다

 그곳에서 도드는 친절한 도수 치료사를 만났는데
 통증이 생겼을 땐 약을 먹거나 스트레칭을 하기 전에
 통증이 생긴 부위를 천천히 문질러 긴장을 풀어주고 나서
 원래의 바른 자세를 취하는 것이 더 중요하다는 사실을 배웠다

가족사진전

 잘루트의 첫 사진전은 도드와 함께 살던 동네의 사진으로 시작되었다
 도드가 반응하지 않자
 자기가 사랑하는 건 자기 가족이라는 후속 사진전이 열렸다

 인간이 죽을 때까지 사랑할 수 있는 게
 고작 자기 가족뿐이라고?

주변을 둘러본 도드는 대부분의 사람들이 죽을 때까지
자기 부모만 사랑한다는 걸 깨닫고 조금 슬퍼졌다

오렌지 사진전

도드는 잘루트가 미웠지만 하루는 마음을 고쳐먹고
다시 잘해봐야겠다고 생각했다
그러려면 만나서 얼굴을 보고 이야기해야 한다고 생각
했다

  잘루트는 만나서 얘기하자는 도드의 요청을 내내 연기
하면서
  도드가 자기를 무시해서 괴롭다는 풍의 셀피를 전시하
더니
  도드의 시야에 반복적으로 등장하며 무언의 요구를 보
내왔고

  그 뒤엔 아픈 오렌지를 돕는 모습을 찍어 전시하면서
  오렌지에게 일어난 일에 관해선 도드와 한마디도 나누
지 않았다

오렌지에게 가까이 사는 잘루트에게 도움을 청하라고 권했던 건 도드였는데
 잘루트는 오렌지를 도울 수 있어서 얼마나 기뻤을까?
 이런 패턴을 등잔 밑 고문이라고 부르면 어떨까?

 쌍둥이 사진전
 ―――――――

 도드와 함께 귀가하던 길 버스에서 내리면서
 난 내 쌍둥이한테 내 얘긴 안 해
 라고 말했던 잘루트가 며칠 뒤 광장에서 큰 소리로 나쁜 놈들!
 내 친구를 괴롭히지 말라고 외치는 모습을 보았을 때 도드의 마음에 떠오른 장면

 내 쌍둥이가 얼마나 불쌍한지
 걔네 엄마 사이비 믿잖아

 도드는 그 장면이 어쩐지 잘 와닿지 않았는데
 같은 상황에 처했던 도드의 전 룸메이트에겐
 그런 연민을 표하는 걸 본 적이 없기 때문이다

함께하면 이득이 되는 사람을 더 불쌍하게 여기면
좋은 사람이라는 기분도 힘이 세지는 느낌도 드니까
일석이조인 걸까?

잘루트는 도드가 무리에서 이탈할 때
보란 듯이 쌍둥이와 손가락 브이 사진을 찍어 올리고
베프와의 스티커 사진도 동원했었다

한참 뒤 쌍둥이와의 결별설을 퍼트리기 시작했을 때
도드는 자기와 상관없는 일이라며 신경 쓰지 않았는데
그 일이 잘루트의 자존심을 상하게 했을까?

더글로리 사진전

  일진에게 복수하는 드라마가 티브이에서 방영되자
  그때까지 일진놀이를 하던 잘루트는 역할을 바꿔 피해자를 연기하며
  자신의 복수를 도울 남자를 만나야겠다고 다짐하는 광고 사진전을 열었다

  도드는 그 사진을 그대로 따라 해서

잘루트가 들이댄 뇌 고데기의 방향을 그쪽으로 바꿨는데
지금 생각해보니 그사이 잘루트에게 도드가 해야 할 말을
먼저 선수 치는 버릇이 들어서 생긴 일이었는지도 모르
겠다

도드가 아이였을 땐
친구라면 판단하지 않는 대신 자기 잘못은 사과할 줄 아
는 거라 믿었는데
어른이 되고 나니 자기가 들어야 할 말을 먼저 뱉어놓으
면
상황을 모면할 수 있을 거라 여기는 사람들이 어찌나 많
은지
그럴 땐 아예 말을 섞지 말아야 한다

그 일이 분했던지 아니면 진짜 자기를 표현할 길이 필요
했던 건지
며칠 뒤 잘루트는 가해자가 착용하고 나온 목걸이와 같
은 브랜드의
재킷을 사 입고 근사한 웃음을 지은 얼굴로 새로운 사진
전을 열었다

안녕 잘루트

우리는 어쩌면 다른 사람들에게 좋은 사람으로 보이고
싶을 때
가장 나쁜 짓을 저지르게 되는지도 모르겠어

피해자 연기도, 주변의 지지를 남몰래 공범으로 삼는 일도
모두 권력을 얻기 위한 행위라는 걸 알게 해줘서 고마워

모욕을 모욕으로 갚아주는 일은 어릴 때 한번 연습해볼
걸 그랬어
자기가 늘 해오던 일을 당하고 아야! 하고 울상 짓는 너
를 보니
애초에 참아줄 이유가 없었다는 걸 깨달았거든

즐겨요 여러분 have fun people, have fun

도드는 잘루트가 도드의 상황을 조작한 따라쟁이 편을 들었던 날과
따라쟁이가 멍청한 니 친구라고 부르던 잘루트 편을 든 날을 떠올리며
두 사람에게 이 형편없는 우정을 끝내야겠다는 메시지를 보냈다

도드야 우리 어릴 적부터 봐온 사이잖아
그건 내 생각 아니었어
나는 그냥 듣기만 했어
나는 아무것도 안 했어
그냥 보기만 했어

아무 일도 없었는데 너 왜 그래?

얘들은 살아 있지만 죽은 거나 다름없는 도드의 친구

한국인이 아이디나 비밀번호를 만드는 방식으로 쓴 시

skQmssus

파랑

물처럼 흐르는 가장 높은 온도의 불

'우리는 거듭남의 징후이자 봉인인
'We must be born again of water and the Spirit
물과 불로 다시 태어나야 한다
as the sign and seal of this new birth

오늘 우리는 성령으로 씻겼다
Here we are washed by the Holy Spirit
세례는 새로운 삶의 시작을 의미한다'
Baptism marks the beginning of a new life'*

도드 너 눈에서 빛이 나

난 이걸 100% 가동시킬 거야

30%만 하면 안 돼? 아니, 10%!
너 좀 무섭단 말이야

싫은데
미친 사람은 감옥에 가둬야 한다고 말하는 사람은
미치는 게 두려워 스스로를 감옥에 가둔 사람들이야

* 영어로 쓰인 이 멋진 문장은 드라마 킬링 이브에서 재인용한 세례문이다.

Blue is the color of new birth 파란은 새로운 탄생의 색

파란은 새벽의 색
Blue is the color of dawn
얼음 호수의 균열을 알린다
it alarms the crack of the ice lake
불타는 밤이 지나고
When the sun appears again
태양이 다시 모습을 드러낼 때
after the flaming night

겨울 봄 여름 가을이 지나도록
The time of sunrise shines changing
일출의 시간은 자연의 모든 형상이
every figure in the nature
변화하고 있음을 비춘다
in all seasons of the year

겨울은 태양이 가장 멀리 있는 계절
Winter is the season when the sun is farthest
가장 먼저 떠나서 가장 늦게 돌아온다
She will leave sooner and will come latest
세상에서 가장 긴 밤을 배울 시간이란다
Now you will learn the longest night

눈 내리는 밤 하얀 눈의 표면 위로
On snowy night you see the reflected blue lights
반사된 푸른빛을 본다
on the surface of snow
너의 어린 시절의 기억을 볼 때
Like the whites of your eyes glowing blue
내 눈의 흰자가 푸른빛을 띠는 것처럼
when you see your childhood memories

새로운 탄생은 가장 멀리 있음으로부터
Over the deep dark depth of water
깊고 어두운 물의 깊이를 가로질러
New birth comes from the farthest distance
물처럼 흐르는 가장 높은 온도의 불
Watery flowing fire at its highest temperature

겨울 새벽의 파란
The blue of winter dawn

물 반사 water reflection

들숨 날숨과 비슷한 밤바다 소리
멀리 빠져나갔다 다시 밀려오는
물은 모래의 무늬를 바꾸어놓는다

도드는 거부할 수 없는 거울도 에코도 아닌
나르키소스가 한참 들여다보다가
너무 가까이 다가가 빠져 죽는 물이다

맴맴 mamam

도드야 이건 빨간 꼬리를 가져서
고추잠자리라고 해 넌 본 적 없지

잠자리 잠 자리 잠 노래하면서
엄마는 잠자리 꼬리에 실을 둘둘 감는다

손을 내밀어 이쪽으로 이렇게 자 이것 봐
도드의 약지에 끼워진 잠 자리 결혼반지

투명 날개는 가쁘게 움직이고 프로펠러 소리 요란한데
아이 손가락이 보기에도 보잘것없는 저항이 느껴져

잠 자리야 너는 날아가고 싶지 넌 너무 약해
더 가려고 해봐 어서 그러다 몸통이 잘릴걸

도드는 잠자리의 몸통에 실을 졸라 매는 엄마가
잔인해

실을 풀어주는 꿈을 꾼다
스르륵 스르륵 스르르르륵

밤의 가수

세상에서 하나님을 제일 좋아하는 엄마는
아버지를 만나고 오라고 도드를 자꾸 교회에 보냈는데
도드는 그게 싫었다

예수님 생일 파티를 준비하면서 도드는
어쩌면 이 중에서 알토 음을 가장 잘 내는 사람이
자기인 것 같다고 생각했다

Alto 여성의 가장 낮은 음역 또는 그 소리를 내는 가수
Altus 높아서 깊어지는 고도의

눈앞에 가까이 들이미는
무섭게 찡그렸지만 자세히 보면 짝짝이로 그려놓은
눈썹을 치켜뜬 어른들의 말이

너 이 구절을 외우지 않으면 오늘
절대로 집에 보내주지 않을 줄 알아
다시는 돌아가지 못할 줄 알아

도드는 엄마가 제일 좋아하는 아빠 책의 구절을
쓰여진 것과 똑같이 외워보려 했지만
아무리 해도 마음에 잘 새겨지지가 않았다 선생님

친구들은 하나 둘 셋 집으로 돌아가는데
안의 공기는 차갑게 내려앉고 밖엔 어둠이 내리고 있어요
이상해 마음에 엄마를 그릴 때마다
방금 새긴 구절에 새살이 차올라 더 이상 기억이 나질
않습니다

울음을 터트릴 것 같았는데 바깥에
누가 도드를 데리러 와 있었다 문밖에 서 있는 꼬마애
내 동생
찾으러 와 있었다 도드를 대신해 울음을 터트리면서

안 돼요 우리 누나 주세요
집으로 돌아가야 합니다 지금 당장요
엄마가 기다립니다 주세요 밤이 옵니다

에나멜 컬러풀 목마

집에 가는 길 다른
골목에서 노래가 들려와 내 동생
곱슬머리 개구쟁이 내 동생 이름은 하나인데 별명은
서너 개 아빠가 부를 때는 두꺼비 누나가 부를 때는
왕자님 나도 동생 있는데 홀린 듯 다가가니 크고 두꺼운
자동차 트럭 위로 에나멜 컬러풀 목마
주렁 주렁 주렁 아이들이 그 위로 삐걱
삐걱 삐걱 앞으로 뒤로 앞으로 까르르 뒤로
앞으로 위로 아래로 꺅 푹
푹 아래로 아래로 말이 뻑뻑하게 움직여 아저씨
있잖아 저도 타볼래 단단하고
미끄럽고 차가운 빨강 말로 할게
요 꾹 꾸욱 꾹 꾹 꾸욱 눌러
앉아 탈래 흔들 흔들 흔들 흔들 스프링
삐걱 삐그덕 삐그덕 삐그덕 삐걱 노래가 멈추고 이제는
집으로 돌아갈 시간
고개를 들어보니 들려오는 노래 꺅 푹 까르르 이름이
여러 개 이름이 여러 개 어떤 게 진짜인지
몰라몰라 몰라

아이여야만

이름도 얼굴도 기억나지 않는
친구의 공간은 아이여야만
앉을 수 있는 높이의 노란색
불이 켜진 다락에 우리 집에 와볼래 라길래 따라갔더니
이것 좀 봐 선이 연결되지 않은
검은 수화기를 들고 나에게
밖으로 나가보자고 말했다
고르지 않은 아스팔트 좁은 골목 위에 나를
세워놓고 친구가 나에게 자랑해
이것 좀 봐 우리 집 전화기는 이렇게 멀리서도
전화를 걸 수 있다 너는 이런 거 없지? 나는
괜히 얼굴이 화끈거려 왁
거제도에 사는 삼촌에게 전화 걸었던 일을 크게 소리쳤다 야
우리 집 전화기는 제주도까지 걸 수 있어 할머니 집에도 어
치즈케이크 부자 고모한테도 걸 수 있어 sea
바다도 넘어가서 연결 알겠냐고 친구
황당한 얼굴로 뭘 모르네 너는
뭘 모르네 뭐 같은 게 나는
당장에 아이여야만으로 올라가
노랑에 검정 하양 피아노 가방을 챙겨서 나는

빨강 파랑 씩씩 보라 거리며 오십 걸음 슈퍼로 달려간다
열 걸음밖에 연결 못하는 전화기도 있나
웃기고 황당한 전화기를 가졌네 쟤는
저런 것도 전화기라고 나는
백 걸음 할매 집에도 전화하고 나는
차 타고 한 시간 고모 집도 가능한데 나는
우리 삼촌 섬 어 목소리가 여기
에서 저기까지 실로 여기에서
저기까지 닿는다고 어 근데
목소리를 전달하는 실은 어떻게 생겼을까? 목소리는
어떻게 갔지? 슈퍼에는
과자 사탕 초콜릿이 많은데 나는
내 손에는 아무것도 없어
서 하늘 땅 노랑 가방만 보다
가 검정 하양 초콜릿 엄마 슈퍼 아저씨 노려보다가 빨강
파랑 보라색 얼굴로 계세요 안녕히 잘 뛰어나왔다 나는
그때 처음으로 하나님에게 말을 걸었다 하나님 나는
갖고 싶어요 나는 먹고 싶어요 나는 가고 싶어 멀리
나 하나님 좋아해
Yo 하나님 나는
하나님 안 믿어 그러니까 하나님 있으면 증명해
봐 나를 잡히게 해봐요 나는
열한 걸음 밖으로 달려 더 좁은 골목으로 숨었다 나는
여기 서서 기다려 하나님 와요
하나님아버지엄마 바보 나는

구구단만 못 외운 게 아니었대

엄마 나 어렸을 땐 어떤 아이였어?
요즘 들어 왜 자꾸 그런 걸 물어봐
요 계집애 엄마한테 복수하려는 게지

넌 너무 어렸어서 아마 기억 못할 거야
외할머니 집이 넉넉하던 시절
널 거기 맡겨두고 일하러 갔는데 너가 그만

창밖으로 날아가는 새를 보고 뒤쫓아갔대
벽을 못 보고 부딪히더니
계단 뒤로 굴러떨어지면서 왼쪽 눈꺼풀이 찢어졌대

너가 학교에 일찍 들어가 전교생 중에서 가장 어렸을 때
받아쓰기를 잘 못했단다 엄마가 몰라서 그랬는데
다른 애들은 전부 다 집에서 미리 연습하고 왔대
엄마가 학교에 안 다녀서 몰랐어 미안해 엄마 가

지어본 적 없는 얼굴

도드가 아이였을 땐 마음에 드는 캐릭터를 보면
트레이싱 페이퍼를 대고 얼굴을 따라 그렸다
가장 그리기 까다로웠던 부분은 구조가 복잡한 손과 발

어른이 되어 그림을 그리면서
한 번 그린 얼굴은
두 번 다시 똑같이 그릴 수 없다는 걸
알게 되었는데

하나의 이야기를 완성하려면
한 인물이라고 믿어지는 얼굴을
수십 번 수백 번 그려야 했다

이상한 일은 닮게 그리려고
미리 밑그림을 그려놓거나
종이를 두 장 겹쳐 빛 위에 놓고
빈 종이 뒤로 윤곽이 비치게 하면

거기엔 따라 그린 에너지만 담겨
표현도 생기도 없었고
한 인물에 속하지도 않게 되었다

한 번도 지어본 적 없는 얼굴을
순간의 에너지를 써서
고치려는 생각 없이 그려낼 때에만
종이에 생명이 입혀지고
한 인물이 태어났다

시간 여행 발각기

도드 도드 도드!
너 내 말 듣고 있어?

누군가 팔을 철썩 때리는 바람에
도드는 눈 깜짝할 사이 다시 책상 앞으로 돌아왔다
수업 시작을 알리는 종이 울린다

뭐야 너 내 얘기 하나도 안 들었어?
미안 나 뭘 좀 생각하느라 너가 온 줄도 몰랐네
마음이 약해서 쉽게 눈물을 흘리던 반 친구는
웃으며 눈물을 닦더니 의자를 들고 자기 자리로 돌아갔다

 실은 수업 시간 내내 몰래 우주 전쟁에 관한 소설을 읽었는데
 어느 순간 그들이 탄 우주선에 탑승해 있었다 동시에
 우주선 바깥에서 부유하는 우주선을 바라보고 있었다

알처럼 둥글지만 기다랗고 빛나는 우주선이
새까만 우주 한가운데에 선명한 모습으로 그려져 있었다
도드는 어떻게 그렸을까? 한 번도 본 적 없는 장면을

점심시간에 도시락을 가지러 사물함으로 간 도드는
아이들이 꾸며놓은 게시판을 올려다보다가
밥 먹는 걸 까먹고 생각에 잠겼다

커다란 무지개가 그려진 시계 위로
천사들이 서로를 향해 활을 당기고 있었다
도드는 자기도 모르게 손을 뻗어 화살의 방향을 바꿨다

이렇게 하니까 한결 낫네
화살은 이제 서로의 심장이 아닌 엉덩이를 겨누고 있었고
수업이 다 끝나고 종례 시간이 되자 담임이 이마에 뿔을 달고 나타났다

시계침 돌린 사람 누구야?
도드는 생각했다 누구야?
다섯까지 셀 테니까 앞으로 나와 하나!

둘! 시간이 지날수록 담임의 얼굴은 점점 더 험상궂어져
셋! 시간을 움직인 사람 누구야!
넷! 범인이 자수할 때까지 오늘 아무도 집에 못 갈 줄 알아

도드는 그제서야 시계침이 화살이구나! 나잖아!
내가 그랬잖아! 하지만 선생님은 이미 너무 화가 나버렸고
차마 손을 들고 앞으로 나갈 용기가 나질 않았다

아이들은 처음엔 범인을 찾아 서로를 둘러보며 웅성거렸지만
시간이 충분히 흐른 뒤엔 고요하고 무거운 침묵만이
도드는 어느새 교실의 천장에 붙어서 아이들과 선생님을
마음을 보글보글 졸이고 있는 도드를 내려다보고 있었다

도드야 얼른 자수해 지금이야 아니면 너 집에 못 가
애들도 화났잖아 집에 영영 못 돌아갈 거야 어서 지금이야
바로 지금, 다섯!

받아-그리기

점심시간에 도드는 교실 앞으로 나가 화이트보드에
수업 중에 들은 단어로부터 새롭게 떠오르는 생각들을
빨강 마카로 신나게 낙서하는 중이었는데

한 친구가 대뜸 다가오더니 화가 난 말투로
도드, 너 왜 자꾸 글씨를 그려?
글씨를 그리는 것 좀 그만해!
글씨는 쓰는 거야 그리는 게 아니라 알겠어?

도드는 그때부터 글씨를 그릴 수 있다는 걸 깨닫고
타고난 줄 알았던 글씨체를 그해 여름방학 동안 바꿨다
방학이 끝나고 다시 학교에 갔을 때 교실 앞에서
파란 마카로 더 동그랗고 잘 굴러가는 바다를 그렸다

자기만의 놀이

 도드야 너가 아기 때 고모 집에 맡겨졌을 때
 갑자기 사라져서 모두 너를 찾아 나선 적이 있어
 온 집 안을 다 뒤지고 아무리 불러대도 찾을 수가 없었지
 방금 전까지 분명 집 안에 있었는데 갑자기 사라진 거야

 너를 어디서 찾았게?
 까꿍! 옷장 안에 들어가 있는 게 아니겠니
 손에 가위를 쥐고서 즐겁게 양말을 자르고 있었단다
 바다에서 미아가 되었던 일은 기억해?

 도드는 양말을 자른 일은 기억하지 못했지만
 가족과 함께 바다에 갔을 때 튜브 위에 누운 채로 떠다니다가 그만
 너무 멀리까지 가버렸던 날은 기억한다

 도드는 기분 좋게 둥둥
 바다 위에 둥둥
 사람들 사이에서 둥둥
 구름 퍼즐을 맞추며 떠다니고 있었는데

 다음 순간 눈을 뜨니 퉁퉁

튜브가 절벽에 부딪히며 내는 소리 퉁퉁
소금물에 불은 두 발이 퉁퉁
햇볕을 오래 쬔 얼굴이 아이 따가워

깜빡 잠들어버렸나봐
이 많은 사람들 중에서 어떻게 엄마를 찾지?
어쩔 줄 몰라 하며 이리저리 둘러보는데

멀리서 들려오는 커다란 목소리 도드야 도드 도드

집에 갈 수 있어 다행이라고 생각하려는데
  멀리서 달려오는 엄마 얼굴이 화가 난 건지 슬픈 건지 웃는 건지 알 수 없었다
  같이 달려오는 파란 옷 입은 아저씨 호루라기 소리가 아이 시끄러

엄마, 아저씨, 사람들
  무섭고 시끄러운 얼굴로 달려오지 마세요

그럴 땐 영화를 보는 거야!

도드야 성욕이 없어질 때는
얼른 로맨스나 야한 영화를 보고 다시 살려내는 거야
그렇게 꺼져가는 불꽃을 다시 살리는 거지
라는 말을 친구에게 들을 때마다 도드는

뭐야 얘도 알고 있었잖아? 하는 생각이 든다
우리가 말로 표현하는 건 자기 자신의 느낌이 아닌
다른 사람이 어떻게 하는지 보고 관찰해서 익힌 코드라는 것을

티브이에 나오는 여자처럼 옷을 입고 행동하라는 엄마의 말
엄마 근데 다른 나라 티브이를 틀면 전혀 다른 여자가 나오는데
역할 바꾸기 놀이만 하다가 정작 나는 살아보지 못하면 어떡해?

도드가 이 세상에 하나뿐인 당신과 딱 한 번 공유한 시간을
왜 모두가 똑같은 의미를 공유하는 말로 표현해야 하는지?

똑같은 말을 듣고 동시에 같은 그림 앞에 설 때조차
너와 내 머릿속에서 연결되는 점들이 다를 텐데
우리는 왜 서로가 아는 걸 확인하는 말만 하는 걸까?

잘 모르는 것에 대해 일단 뱉어놓고
무슨 일이 벌어지는지 한번 지켜보면 안 되나?

그렇다면 어쩌면 서로의 목소리가 닿게 하려면
서로 같거나 이미 알고 있는 거라는 생각을 하지 못하도록
조금 다르거나 틀리게 말해야 하는 건지도 모른다

그러자 곧바로 떠오른 도드의 다르게 말하기 첫 번째 시도

학생 때 도드가 귀엽게 생긴 옆 학교 복학생에게 반했을 때
걔가 도드한테 그래서 너한테 나는 어떤 존재야? 하고 물은 적이 있었는데
그때 너무 기뻤던 도드가 날린 답장은 Chocolate!

이후의 반응을 보니 걔
뭔 소린지 알아듣지 못해 답답해했던 것이 분명한데
초콜릿은 도드가 세상에서 제일 좋아하는 거야

도드는 만화책과 소설을 많이 읽어서 알 건 다 알았는데
이상하게 좋아하는 남자애들이랑 있을 땐 머릿속이 하얘져서는
뭘 잘 모르는 미숙한 여자애를 연기하곤 했었다

그래놓고 다음 날 학교에 갔을 때 반 친구들이 도드에게 반장!
남자 친구 생겼다며 키득키득 둘이 잘 맞아? 데이트 재밌었어? 하고 물으면
있잖아 내 생각에 우리는 속궁합이 잘 맞는 것 같아

두 사람의 마음이 잘 맞다는 의미로
처음 써본 말인데 애들 반응이 이상해서
집에 가서 사전의 뜻을 찾아보고 깜짝 놀랐던 말

도드가 살면서 제일 많이 한 실수의 유형

도드가 가장 약했을 때

다쳤을 때는 울음을 참지 말고 크게 터트려야 한다
마음에 말이 고이게 하면 안 된다 다 뱉어내야 한다
비명을 삼키면 눈덩이처럼 불어나서 언젠가 다시 돌아오니까

도드가 아주 어렸을 때
엄마 가게 셔터 문을 조금 열어둔 채 교회에 다녀오니
키우던 강아지가 사라지고 없었다

도드는 잃어버린 첫 강아지를 생각하며 오래 울었는데
언젠가 엄마가 소라고 강조했던 날의 고기 맛이 달라서
개였다는 걸 알게 된 뒤로는 그 이름을 기억하지 못한다

도드가 다 큰 아이였을 때 아빠가 주유소에서 똥개를 주워 왔다
밤톨이는 우리와 함께 살게 되었는데
겁 많은 똥개는 혼자 있을 땐 아무 데나 오줌을 쌌다

어느 날 학교에 다녀오니 개가 없었다
도드가 일주일 내내 울면서 엄마를 저주하자
엄마는 개를 찾으러 가자며 한밤중에 택시를 불렀다

어디로 보냈어?
우리 집은 너무 좁아 거긴 개들끼리 모여 살아서 행복하대
어디로 보냈냐고?
엄마가 아는 어떤 아저씨가 산에서 개들끼리 모아놓고 키운다길래

두 사람은 택시를 타고 동네 뒷산으로 올라갔다
컹컹 개들이 짖는 소리를 들으며 기다렸는데
잠깐 기다려보라던 엄마가 빈손으로 돌아왔다

밤톨이는?
어떤 다른 아저씨가 개들이 행복하게 지내는 곳으로 데리고 갔대
엄마는 아저씨들 말을 왜 그렇게 잘 들어
그게 뭔 줄 알고 자꾸 믿어

한 달 뒤 엄마는 도드에게 새벽 시장에서 돌아오는 길에
자기도 모르게 눈물을 쏟았다고 고백했고
그날 이후로는 개를 못 먹게 되었다

그때까지 엄마의 자기는 어디서 뭘 하고 있었을까?

외국인으로 맞이한 세 번째 여름
키우던 개를 잃어버린 상처가 돌아오자
같이 지내던 고양이들이 가장 먼저 알아챘다

도드가 이 이야기를 꺼내놓는 이유는
앞으로의 삶을 제대로 살아가고 싶다는
이기적인 요구에서 시작되었다

도드는 직감했다 이것이구나 살인자들의 비밀
캄캄한 구덩이에서 살아 돌아온 폭력의 메아리를 다루기 위해
전쟁에서 돌아온 군인을 위한 치료법을 찾아보았다

가면을 만드세요
당신이 느끼는 감정에 어울리는 얼굴을 빚어
어둠의 숨결을 불어넣으세요

얼굴을 부여하고 이름을 부여하세요
당신의 심장을 움켜쥔 검은 손을
당장 밖으로 꺼내놓으세요

도드는 곧바로 부엌으로 가서

밀가루에 물을 넣고 반죽한 뒤
둥근 그릇 위로 두 개의 얼굴을 빚었다

얼굴에 뿔을 잔뜩 심고
무시무시한 표정을 빚고
구멍을 잔뜩 내고 나니

오래 묵은 슬픔이 손끝으로 빠져나갔다
첫 번째 얼굴은 아주 어린 아이의 새빨간 울음을 닮았고
두 번째 얼굴은 다 큰 아이의 더 뾰족하고 검었던 분노를 닮았다

두 얼굴이 단단하게 굳고 나니
세 번째 고양이 모래가 다가와 가면을 향해
털과 발톱을 세우며 하아악 소리쳤다

도드는 한밤중에 가면을 가지고 나가서
소각장에 던져버렸다
얼굴이 산산조각 나는 소리를 기대하면서
다시는 자길 쫓아오지 않길 기도하면서

엄마는 도드에게 자꾸 전홛 걸어 교회에 가지 않으면 돈을 끊겠다고 협박했고
수화기 너머에선 고양이들을 내다 버리고 인간 노릇을 하라는 아빠 목소리가 들려왔고
그때 도드가 사랑하던 남자는 너는 고양이가 두 마리잖아라는 메시지를 보내왔다

그즈음 도드는 한국으로 돌아가고 싶지 않다면서
외국에서 살아갈 충분한 용기도 없었고
사랑을 잃어버릴 자신도 없었다

친구도 가족도 사랑도 잃어가면서
이 모든 걸 감당할 수 없다는 걸 인정한 도드는
모래를 다른 사람에게 보내기로 결심했다

그때부터 설명하기 어려운 일들이 일어났다
외출하고 돌아오니 가장 먼저 달려오던 모래가 보이지 않았다
이름을 부르니 창문 아래에서 작은 목소리가 들려왔다

다친 모래와 작별하려고 한다는 사실을
학교 친구들에게 알리자
한국인 친구는 경멸의 눈빛을 담아 도드에게
왜 그런 일이 생겼을까요? 라고 물었고

프랑스인 엘리는 도드를 도우려고 한 친구를 소개해줬는데
파리 근방까지 기차를 타고 가서 모래를 데려다주었지만

그 친구가 금세 마음을 바꾸는 바람에 이틀 뒤 다시 데려오게 되었다

한국으로 데려갈 서류를 작성할 수 있는 시기는 이미 지났다
지금까지 지불한 비용이면 함께 돌아올 수도 있었다는 사실이
그날 본 모래의 안심한 얼굴이 이후로도 도드를 여러 번 죽였다

레바논에서 온 사라는 소식을 듣더니 지난 1년간 고양이를 찾고 있었다며
모래를 자기 고양이로 받아주었다 그 뒤로 모래와 서서히 작별하려
사라의 집에 방문할 때마다 터키식 커피를 내어주었는데

다 마시고 난 후엔 컵을 뒤집어 점을 보는 법을 알려주었다
컵에도 얼굴이 있었다 고약한 아브락사스* 같은 얼굴이
도드가 한국에 돌아왔을 땐 영혼의 한 부분이 잘려나가 있었다

도드와 모래 사이에서 떨어져 나간 부분은 어디로 갔을까?
이 일은 도드를 예전과는 다른 사람으로 만들어놓았다

팬데믹이 지나고 나서야 도드는 사랑했던 남자들 대신

사라와 모래를 만나러 갈 수 있었지만
큰 상처를 받은 모래는 다시는 도드를 예전처럼 대해주지 않았고
도드는 용서를 구하지 않았다

그런데 어떻게 설명할 수 있을까?
이 이야기에 숨겨진 비밀이 있다는 걸
이 시기의 타락이 도드에게 필요한 일이었다는 것을

상처가 벌어지고 약해지는 일이
자기가 자신을 배반하는 일이
인생에 한 번은 일어나야 했다는 것을

모래는 지난해 세상을 떠났다
올해 다시 만난 사라는 모래의 잔해를
뷔트쇼몽 공원의 나무 아래에 묻어주었다고 했다

도드는 이 글을 할 일을 가리고 있는 슬픔 가리개**를 치우기 위해 쓴다

그동안 타인의 욕망을 빚어내는 밀가루 반죽으로 살아왔다는 걸
모든 것이 자신의 잘못이라는 것을
인정하기까지 너무 오랜 시간이 걸렸다

오늘 도드는 자신이 지을 수 있는 죄는
자기 자신의 욕망을 포기하는 일과

타인이 되고 싶은 것을 방해하는 일
뿐이라는 것을 안다

---

* Abraxas. 영지주의의 초월적인 신. 헤르만 헤세의 『데미안』에는 선과 악의 양면을 지닌 신으로 묘사하고 있다.
** '슬픔은 할 일을 가리고 있는 가리개'라는 표현은 앤 카슨의 책에서 빌려왔다.

도드가 가장 용감했을 때

엄마, 제가 방금 세상에서 가장 슬픈 이야기를 지었는데
한번 들어보세요

무대는 학교예요
나이가 엉망진창으로 섞인 그가
당신과 함께 교실에 들어와 있어요
엄마는 아이인데
그는 세상에서 가장 나이 들었어

도드는 아이이면서 누구보다 더 나이 들었어
우리는 잠깐 동안 다 같이 그렇게
있다가 갑자기 그곳엔
아무도 없어
도드는 깨어나요 혼자

가장 깊은 협곡들을 지나 다음 생으로
모두 어디에 있어?
도드는 가기 싫어 더 놀고 싶어요
더 많이 엄마 나
가기 싫어요

봐요 이제 교실은

텅 비었어요
도드는 긴긴 잠에서 깨어나요

있잖아 나
정말 이상한 꿈을 꿨어
깨워줘서 고마워

엄마 옆에서 잠들던 시절

처음에 도드는 방 안에서 이불을 뒤집어쓰고 있었다
보이지 않았지만 옆에는 엄마가 있었다
밖에서는 강력한 폭발이 일어나고 있었다
도드는 이불 안에서 불기둥이 도시를 덮치는 장면을
집을 순식간에 집어삼킨 화염을 보았고
이불을 관통한 불의 구멍을 바라보는 자기 눈을
마주하자마자 잠에서 깼다

다음엔 온 가족이 화물 트럭에 타고 있었다
아빠 차는 모래바람을 일으키며 달려가고 있었다
쫓기면서 멀리 불바람이 다시 불어오고 있었기에
높은 곳을 향해 도망가고 있었다 서둘러
빙글빙글 돌아 오르고 올라 도착한 곳엔
부서진 기둥이 처음 방의 흔적처럼 남아 있었다

그렇게 어렸는데 어떻게 알았을까?

처음 방의 흔적은 수니온곶의 포세이돈 신전과
닮은 모습을 하고 있었다
도드는 기둥만 남은 신전 안으로 들어가
기도하는 마음으로 바닥에 누웠고 곧
불 구름이 몰려와 도드를 집어삼켰다

이사한 집의 구조를 기반으로 지어진
자기 방의 문을 열고 들어가니
방 뒤로 복도가 보였고 복도를 따라가니
방 뒤로 방이 하나 더 생겨 있었다
이전에는 없던 공간이

그 방에서 나와 날아오는 엄마의 손을
팔을 뻗어 막아냈던 방으로 들어가니
Cuisinière*라고 불리는 화구가 엄청 많은
크고 고급스러운 가스레인지가 들어차 있었고
예전에 쓰던 조그마한 가스레인지는
쓸모를 다한 물건이 되어 바닥에 놓여 있었다

엄마는 허여멀건한 화구들이 가슴처럼 즐비하게
봉긋봉긋 솟은 퀴지니에의 불을 켜려고 했지만
그릴이 벗겨져 있어서인지 불이 들어오지 않았다
도드는 그 위로 검은 그릴을 씌우고 불을 당겼다
불이 파도치며 흘러내린다 화산들이 폭발한다

그 후로 도드는 방이 등장하는 꿈을 꿀 때마다
방이 깃털처럼 들어찬 크기를 측량할 수 없는
낮고 광활한 날개 형태의 건물 안에 들어와 있었다

문이 없는 방을 들여다보니
싱글 침대가 두 개 어슷하게 놓여 있었다
비가 창문 틈으로 콸콸 쏟아져 들어왔고
건물 안에는 수많은 사람들이 오고 갔다

기다란 복도를 따라 밖으로 나가면 모래 해변을 걸을 수 있었고
눈앞에는 바다가 펼쳐져 있었다

* '요리사'를 뜻하는 프랑스어 단어의 여성형.

첫째 주 일요일 쉽니다

1년 365일 52주 하루 24시간 한 달
4주 28일 5주 35일 6주 42일

2023년
―――――

1월   1주
      2주
      3주
      4주
      5주이면서 동시에 2월   1주
                                 2주
                                 3주
                                 4주이면서 3월   1주
                                                         2주
                                                         3주
                                                         4주
                                                         5주 동시에 4월   1주
                                                                                  2주
                                                                                  3주
                                                                                  4주
                                                             7일이 꽉 찬   5주

5월　1주
　　　2주
　　　3주
　　　4주
　　　5주이면서 6월　1주
　　　　　　　　　　2주
　　　　　　　　　　3주
　　　　　　　　　　4주
　　　　　　　　　　5주 동시에 7월　1주
　　　　　　　　　　　　　　　　　2주
　　　　　　　　　　　　　　　　　3주
　　　　　　　　　　　　　　　　　4주
　　　　　　　　　　　　　　　　　5주
　　　　　　　　　　　　　　　　　6주이면서 8월　1주
　　　　　　　　　　　　　　　　　　　　　　　　2주
　　　　　　　　　　　　　　　　　　　　　　　　3주
　　　　　　　　　　　　　　　　　　　　　　　　4주
　　　　　　　　　　　　　　　　　　　　　　　　5주 동시에 9월　1주
　　　　　　　　　　　　　　　　　　　　　　　　　　　　　　　2주
　　　　　　　　　　　　　　　　　　　　　　　　　　　　　　　3주
　　　　　　　　　　　　　　　　　　　　　　　　　　　　　　　4주
　　　　　　　　　　　　　　　　　　　　　　　　　　　　　　　5주
이면서 10월　1주
　　　　　　　2주
　　　　　　　3주
　　　　　　　4주
　　　　　　　5주
　　　　　　　6주 동시에 11월　1주
　　　　　　　　　　　　　　　　2주
　　　　　　　　　　　　　　　　3주

             4주
           5주이면서 12월   1주
                         2주
                         3주
                         4주
7일이 가득 채워진 5주로 완성되는 1년

보라

더블 레인보로 쏘아 올린 다섯 개의 돌

도드는 더블 레인보로 환상을 향해 돌을 던졌다

빛의 속도로 날아간 돌은 하늘의 표면과 부딪혔고
    더블 레인보는 줄을 당긴 도드의 이마에 깊은 세로 주름을 남겼다

Bow Shock!)는 활 모양 충격파

(셰익스피어)
(도드   )

(햄릿   )
(

스프링 에나멜 컬러풀

)

각각의 별들은 폭발할 때
각자 다른 충격파를 내보낸다

태양의 내핵이 폭발할 때 우주에 부는 바람
충격파는 우리가 당연하다고 생각하는 대기를
목소리를 전달하는 가스와 먼지
매질의 상태를 완전히 바꿔놓는다

Drawing은 활 당기기
대기를 가르는 화살촉이 개방하는 새로운 차원
입천장의 개구부를 확보하는 무지개 아치

그 아래로 달려나가는
존재의 궤적을 새로이 그려보는 목소리

새빨간 도드의 피가 스며든 정원에선
왜 파란 히아신스가 피어났을까?

 도드는 ay, ay, ay, 탄식이 새겨진 보라색 꽃잎을 몇 개 떼어선 입에 넣고 짝짝 소릴 내며 씹었다. 한참 씹다보니 풍선을 불 수 있을 만큼 부드러워졌다. 도드는 크게 풍선을 불기 시작했다. 풍선은 점점 커지더니 마침내 머리부터 발끝까지 감쌀 수 있을 정도로 커졌다. 도드는 풍선 안으로 걸어 들어갔다. 풍선이 터지면 뭐가 보이게? 헬리오폴리스.

 헬리오폴리스는 별의 핵융합 반응이 효과적으로 수행될 수 있는 유일한 장소. 핵융합은 수소를 헬륨으로 바꾸어 놓는다. 도드는 다시 꽃잎을 몇 개 떼어 짝짝 씹었고 이번에는 더 큰 풍선을 불었다. 풍선껌이 서로 충돌하더니 둘 다 터졌다. 충격이 가시고 폭발의 잔해가 가라앉고 나자 도드의 눈앞에 안내판이 드러났다. 헬륨 가스를 너무 많이 마실 시 질식하거나 성대가 마취될 수 있으니 주의하시오. 우리 엄마가 그러는데 대기 중에 분포된 물질에 따라 목소리가 전송되는 속도가 달라진대. 근데 또 네 심장이 다른 사람보다 빨리 뛰면 바깥 소리가 느리게 들릴 수도 있대!

 도드는 헬리오폴리스의 헬륨 가스를 잔뜩 들이마신 뒤 한결 가벼워진 목소리로 노래를 불렀다. 도드의 목소리가 헬륨 자전거를 타고 도착한 도시의 이름은 Velocity 벨로시티. 원래 살던 도시로 돌아온 뒤에는 변조된 목소리 때문에 한

동안 놀림을 받았다. 도드의 목소리가 웃기게 들려서 도드가 말하는 내용을 진지하게 받아들이는 사람이 아무도 없었다. 도드의 목소리는 웃겨졌지만 헬륨 가스가 풍선도 비행선도 하늘 위에 띄워놓는 거 알아?

있잖아 나는

이 세상 모든 사람의 풍선이 동시에 다 터지는 장면이 보고 싶어

돌이 된 나무 petrified tree

도드는 몸에서 떨어져 나와 돌이 된 조각들을 집어
거기에 적힌 말을 큰 소리로 읽어보았다

<u>첫 번째 돌: 어떻게든 외부로 발현되는 무의식인 신</u>

인정할 수 없는 내 모습을 없는 척한다고
나쁜 행동을 교정한다고 바뀔 수 있을까?

그게 가능하다면
반복되는 패턴 같은 건 존재하지 않을 것이다

바꿔야 하는 건
내가 듣고 자란 말, 스스로 반복해온 말들이다

magma sea change,
change your darkness

두 번째 돌: 언어로 짜인 하드 렌즈를 벗겨낸 눈으로 본 진리

스탕달 증후군이라고 들어본 적 있어?

피렌체에서는 예술작품 앞에서 지나친 감동을 받고
병원에 실려가는 사람들이 있는데
죽어서까지 자기는 이탈리아인이라고 거짓말했던
이상한 놈 스탕달의 이름을 딴 현상이야

이런 경험을 한 사람들의 공통점이 뭐게?
이들이 전부 외국인이라는 거야

도드에겐 이런 일이 딱 두 번 있었는데
살던 도시를 떠났을 때와
태어난 나라를 떠났을 때야

익숙한 풍경과 모국어 밖으로
나에게 익숙한 체계의 밖으로 나가면
뭐든 더 느낄 수 있다는 사실이 근사해

그런 생각 해본 적 없어?

아무리 분류를 넓히고 이름을 늘려도
너는 거기에 없어

거기에 속하지 않는 전부
포획되지 않는 전부
그곳에 있는 당신

I know I, no
this very me

세 번째 돌: 누구도 상황이 복잡해지는 게 두려워 입을 다물면 안 된다는 정의

누군가 이야기를 자기에게 유리하게 미화하여
개소리를 빚어내는 일은

권력이 역사를 왜곡하는 방식과 닮았다
우리가 자주 못 본 척하는 것들 말이야

기억을 억압하는 말과 행동
집단적인 망각에 굴하지 말아야 한다
잘못한 게 없으면 사과하지 말아야 한다
아니면 자기 존재에 대한 사과가 되니까

누가 옆에서 뭐라고 떠들든
그들의 말은 당신을 향하기 전에

그들 자신을 먼저 향하고 있다는 사실을 잊지 말길

행동할 권리가 없을 때에도
자기 자신과 타인을 위해 행동할 수 있어야 한다

아무한테도 말한 적 없는데
로르샤흐 잉크 검사*를 할 때
그림자를 보고 거짓말을 한 적이 있어
어째서인지 머릿속에 사람들이 나를 선하다고 판단할 것들만
말해야 한다는 생각이 자리 잡고 있었단 말이야
심리검사자가 나에게 나비 얼룩을 보여주었을 때
위험을 감지한 기색을 감추며 이렇게 말했지
벌레가 보입니다

나는 봤어 타는 모닥불 주변으로
번쩍이던 짐승의 눈을
검은 숲에서 빠져나오는
춤을 추고 있었단 말이야
귀가 뾰족한 것들이
다 다르게 생긴 것들이
불이 나무를 태우고 있었단 말이야
도드를 겁먹게 한 불의 축제의 예감을

그림자를 들여다보게 하기 전에 먼저 이렇게 말해야 합니다
선과 악의 문제는 그리 단순한 것이 아니라고

사회가 빚어내는 틀은 이런 곳에선 아무 소용이 없으니
제발 당신이 목격한 것을 본 대로 이야기해줘요

네 번째 돌: 상상할 수 없는 장면을 만나게 해주는
새로움이라는 선

남들과 다른 자기 자신의 목소리를 따라가

돌려받을 생각을 하지 않고 주기
좋아하는 마음을 붙잡고 있으면
언젠가 반드시 만나게 된다는 걸 믿기

무엇이든 좋으니
상상해봐

다섯 번째 돌: 사랑에 대한 확신

   도드는 모니카 마론이 아니말 트리스테에 쓴 우리가 죽을 때 아쉬워하는 건 사랑뿐이라는 말과 생활을 위한, 취미로서의 커플과 사랑에 대한 경멸을 나타내는 부분을 읽은 뒤부터 이런 구분을 단 한 순간도 잊은 적 없다. 다른 사람을 의식해서 사랑하는 척만 하다가 늙거나 아파 죽는 것처럼 허무한 인생이 있을까? 처음에 도드는 그가 자신을 원했다는 사실에 만족했다. 그다음, 도드는 자신의 사랑에 놀랐다. 그다음에 도드는 눈앞에 펼쳐진 검은 숲의 체리 케이크를 먹고 배가 터져서 죽었다.

Bulbous plants like a hyacinth blossom from bulbs like a bird species after harsh long dark coldness. "This is my own special gift to you, don't ever open it." said Zeus, the god of order and justice. Somehow the bulb cracks its own petals opened up home-body it's everything. Delicious forêt-noire dark chocolat red cerise white crème chantilly. "Pour faire de la chantilly, la crème fraîche doit être très froide."

어둡고 긴 혹독한 추위가 지나면 히아신스는 새의 알처럼 둥근 구근에서 꽃을 피워낸다. "이것은 특별히 내가 너한테 주는 선물이야 절대 열어보면 안 돼." 질서와 정의의 신 제우스가 말했다. 구근은 어떻게든 자신의 전부인 집을 깨부숴 꽃잎으로 펼쳐낸다. 맛있는 포레누아 다크 쇼콜라 레드 체리 화이트 샹티이 크림. "샹티이를 만들려면 크림이 아주 차가워야 해요."

And it needed to be whipped as you all know. The posture of Nut, the goddess of night, resembles Pandora's open, arched box lid. Blooming scents of all colors emerge from Pandora's opened fatal jar. Athene gave it life, and the rest of the gods each gave her gifts. The first woman, curious eve, a beautiful evil. Do you want this wild fragment? "Le spectacle sanglant des cerises explosant dans une forêt d'ombres chocolatées, avec eau-de-vie! Un goût qui fait revivre l'enfance!"

그리고 여러분도 아시다시피 눈물을 흘려야 해요. 밤을 여는 여신 누트의 자세는 판도라의 열린 아치 모양 상자 뚜껑을 닮았다. 열린 판도라의 치명적인 항아리에서 피어나는 온갖 색의 향기. 아테네는 생명을, 나머지 신들은 각각 아름다운 악마, 첫 번째 여성, 호기심 많은 이브에게 선물을 하나씩 주었다. 이 야생의 향기를 원해? 보라! 존재에 어린 시절이 떠오른 맛, 브랜디가 섞인 초콜릿 그림자 숲에서 폭발하는 체리의 피투성을.

---

* 좌우대칭의 잉크 얼룩을 어떠한 모양으로 보는가에 따라 무의식적인 심리 상태를 살펴보는 심리 투영 검사법.

이제부터 나를 누라고 불러줄래?

 도드는 오렌지가 보내준 링크를 타고 도착한 영상을 보면서 요가를 하고 있었다
 다운독 포즈를 하는데 다리 사이로 누군가의 하얀 뒤통수가 보였다

 누구?

 처음엔 머리카락이 하얗게 세어 있어서 그녀를 알아보지 못했다
 이름을 부르고 싶어도 이름을 잃어버렸기에 부를 수가 없었다
 뭐라고 부르면 좋을까 고민하다가

너! 여긴 어떻게 왔어?

 안녕 도드, 이렇게 둘이서 보는 거 오랜만이네
 오늘이 무슨 날인지 몰라? 히아킨티아!
 화환도 쓰지 않고 빵도 먹지 않고
 케이크만 먹는 3일간의 축제인데 누가 빠질 순 없지

누?

응, 이제부터 나를 누라고 불러줄래?
너 아니고 나 아니고 누구의 누 말이야
그거야 쉽지

누, 내 말 좀 들어봐
내가 어제 책에서 읽었는데
아폴론과 히아킨토스 신화 속에 나온 꽃은
꽃잎에 탄식이 새겨진 히아신스가 아닌 주사위 꽃일 수도 있대
꽃잎에 체스판이 새겨진 프리틸라리아 말이야
Fritillaria

이 꽃은 히아신스보다 더 빨간 보라색인데
주사위를 넣고 흔드는 둥근 통에서 유래된 이름이래
히아킨티아 축제는 어쩌면 원하는 결과가 나올 때까지
주사위를 다시 던져보는 시간인지도 몰라

도드야, 시끄럽고 이 케이크 좀 먹어봐
맛이 죽여줘
와 이 포레누아 진짜 맛있다
근데 히아킨티아는 언제 끝나는 거야?

케이크를 다 먹기 전까지 축제는 안 끝나
이거 다 먹기엔 좀 너무 크지 않아?
도드 너 바보네 그거 알아?
이거 사실 케이크 아니고 아이스크림이다?

누가 케이크가 아이스크림이라고 하니
검은 숲이 입속에서 눈 녹듯 녹아 사라졌다
한 번도 해본 적 없는 생각을 할 때면
입덧처럼 구역질이 난다

누, 그래도 오랜만에 너랑 이야기하니까
마음이 사르르 녹는 것 같아
그런 마음이 한차례 지나갔다니 다행이네
뿌웅

쿵쿵 근데 뭘까 마음이 편안해지는 이 익숙한 냄새는

누, 냄새가 난다는 건 좋은 거야
냄새가 난다는 건 뭔가 느낄 수 있다는 거야

있잖아, 너무 슬플 땐 심장이 부풀어서 항아리 모양으로 변하는 거 알아?

그때까지 알 모양이었던 심장이 비로소 하트가 되는 거지

Nu, What is the difference of a pottery and a poetry?
누, 시와 항아리의 차이는 뭘까?

하양

재에 덮인 누의 바다
새하얀 누의 바다 위로 춤추는 오로라는 벙어리
태양의 폭발을 알린다

도드, 전에 너가 이야기했던 거 있잖아
화산 폭발 후에 생기는 두 번째 산에 관한 이야기
다시 들려줄래?

누, 너가 예전에 나보다 먼저 서른 살이 되었을 때
갑자기 길에서 시도 때도 없이 회상에 젖고
버스랑 지하철이랑 아무 데서나 막 울고 다니고 그랬잖아

그때 너의 별이 폭발했다는 걸
나 한참 뒤에야 이해한 거 있지

나는 폭발 후에 눈이 멀어버렸는데
너는 어떤 느낌이었어?

나는 사람들이 혼돈이라고 부르는
소금 결정이 모두 떠올라버린 바다에서 살아가

소금기 없는 물이 되면 뭐가 보이게
짠맛 없이도 맛볼 수 있는 것들이 보인다?

이 세상의 소금을 한 번도 맛본 적 없는 사람의 눈에 비친

이 도시를 한번 상상해볼래

누, 나 너가 죽었다는 소식이 전해진 날
이름에서 가장 먼 곳에서 동물울음을 터트렸어

어떻게?

Nu nu nu nu nu 누누누누 누누누
하고 울고 나니 심장이 다공질의 화강암이 된 거 있지

도드야 괜찮아 넌 원래 스폰지잖아 그 구멍에 물을 잔뜩 머금어봐
인생의 페이지를 잘 넘기려면 손가락에 물을 좀 묻혀야지

누, 너가 예전에 나한테 그랬잖아
누가 안 보는 데서도 스스로를 가다듬는
자기 자신한테 엄격하고 타인에겐 관대한 사람이 좋다고

나 전에 너가 약해졌다고 했을 때
나도 모르게 내 마음이 너를 얕잡아 봤었다?

도드야, 있잖아
너가 혼자일 수 있다면
비슷한 시간을 지나온 사람들을 곧 만나게 될 거야
한 명씩 한 명씩 말이야

그럴까?

가장 빼기 어려운 색이 하양이라는 거
말해진 적 없는 사랑은 지울 수 없다는 거
혹시 생각해본 적 있어?

언젠가 너가 다시 사랑하게 되면
내가 결혼식 때 주례 서줄게
결혼 안 하고 애만 낳으면?
그럼 돌잔치 해주지 뭐

있잖아 누, 여명의 여신 에오스가
왜 태양의 신 헬리오스와 달의 신 셀레네의 자매로 등장하는지 알아?
새벽은 항성도 행성도 위성도 아니면서?

내 생각엔 태양은 욕망을 달은 축적된 과거의 기억을
여명은 투사로 가득한 이 세상에서
자기 욕망과 기억에서 비로소 해방되는 짧은 순간을 말하는 것 같아

오늘 태양이 좀 이상해 보이지 않아?
도드야, 저건 해가 아니라 달이야
그리고 우리 할머니가 널 봤으면 꼬부랑말 좀 그만하라고 하시겠다

참, 새미가 사과하러 왔었다? 나를 동경해서 그랬대
앞으로 이런 일이 생기면 개인적으로 받아들이지 말고
자기 문제는 자기가 해결하게 그냥 내버려두는 게 어때

해가 뜨네, 늦었으니 난 이만 돌아가봐야겠어

가? 안 그래도 양보할 일이 많았을 텐데
나한테도 언니 역할을 시켜서
내가 더 성숙하지 못했어서 미안해

시끄럽고 아가씨, 나의 방식이 괜찮았는지?
나를 오해하지 않아줘서 고마워요

천천히, 서두르지 말고 다시 날아봐
날다가 떨어지면 또 시도해봐

도드야, 잘 자
Night night

Here's a Kiss to the Whole World!*

To be, or not to be, that is the question:

To die, to sleep;
To sleep, perchance to dream — ay, there's the _rub_

— Shakespeare

<small>단 한 번의 키스로 나는 흔들리고 찔려 죽었네</small>
I kiss and i die, shake & speared**

죽어야 사는 것, 그것이 문제로다

죽는 것은 잠드는 것
잠들면 아마 꿈꾸겠지? 아, 그게 곤란해

— 우정을 담아, 도드

---

* 제목은 도드가 보고 나서 처음으로 눈물 흘렸던 클림트의 벽화 제목에서 빌려왔다.
** 앞 문장은 TV의 청춘 드라마 속에서 무대에 올려진 로미오와 줄리엣에서 가져온 대사다. 뒷 문장은 헬리오폴리스에 다녀온 사람들은 쉽게 알아챌 수 있는 셰익스피어의 말장난이다.

이 시집이 쓰이는 동안 이야기의 전개를 곁에서 지켜봐준
시 모임의 동료들과 외부에서 응원을 보내준 사람들, 그리고 아리안 칼파에게
깊은 감사의 마음을 전합니다.

지은이 김혜니
　　시인.『스프링 에나멜 컬러풀』은 첫 시집이다.

스프링 에나멜 컬러풀

초판 1쇄 발행   2025년 10월 20일

지은이   김혜니

발행인   박지홍
편집장   강소영
편집   이수경
디자인   전용완

발행처   봄날의책
등록   제311-2012-000076호 (2012년 12월 26일)
주소   서울 종로구 창덕궁4길 4-1, 401호
전화   070-4090-2193
메일   springdaysbook@gmail.com

제작   세걸음

ISBN 979-11-92884-47-9 03810

표지 그림은 이용제 작가의 〈Bubbles (Memories of hope) — Little Mermaid〉
(캔버스에 유채, 116.8 × 72.7 cm, 2018) 부분입니다.